HOLACRACIA

Brian J. Robertson

HOLACRACIA

El nuevo sistema organizativo
para un mundo en continuo cambio

 Empresa Activa

Argentina – Chile – Colombia – España
Estados Unidos – México – Perú – Uruguay – Venezuela

Título original: *Holacracy – The New Management System for a Rapidly Changing World*
Editor original: Henry Holt and Company, New York
Traducción: Martín R-Courel Ginzo

1.ª edición Noviembre 2015

Copyright © 2015 by Brian J. Robertson
All Rights Reserved
© 2015 de la traducción *by* Martín R-Courel Ginzo
© 2015 *by* Ediciones Urano, S.A.U.
Aribau, 142, pral. – 08036 Barcelona
www.empresaactiva.com
www.edicionesurano.com

ISBN: 978-84-92921-32-4
E-ISBN: 978-84-9944-903-6
Depósito legal: B- 19.547-2015

Fotocomposición: Ediciones Urano, S.A.U.
Impreso por: Rodesa, S.A. – Polígono Industrial San Miguel – Parcelas E7-E8
31132 Villatuerta (Navarra)

Impreso en España – *Printed in Spain*

ÍNDICE

PREFACIO

Conocí a Brian Robertson en California en el año 2010, con ocasión de una conferencia sobre Capitalismo Consciente en la que compartimos escenario como presentadores. Cuando le escuché hablar de sus puntos de vista sobre una manera nueva y dinámica de estructurar y dirigir una organización, me quedé fascinado.

A la sazón yo estaba afectado por algunos de mis errores a este respecto, y estaba sumido en una profunda abstracción tratando de resolver la manera de hacer posible que mi pequeña aunque entusiasta empresa funcionara sola, sin que ello me obligara a desempeñar la función de director general. Para entonces, ya sabía que no era el mejor candidato para ejercer ese cargo; resultaba más valioso para mi organización haciendo de portavoz y manteniendo viva la llama de la metodología GTD popularizada por mi libro *Organízate con eficacia*.

Habíamos emprendido el camino de intentar elevar nuestro trabajo para que sirviera al creciente interés en todo el mundo por su contenido. Sabía que no podía hacerlo solo, y que además de mí sería necesario alguien o algo más para dirigir operativamente ese empeño. Pero confiar la autoridad de «dirigir la empresa» a una personalidad fuerte que pudiera no estar totalmente en sintonía con nuestro ADN esencial, era un asunto delicado. Tenía la sensación de que lo que éramos como organización era más grande que cualquiera de nosotros, considerados individualmente. Pero poner a alguien «al mando» significaría entregar las riendas de una sencilla aunque sutil y sofisticada propiedad intelectual que andaba tratando de abrirse camino en el mundo.

Lo que quería era una organización que no necesitara un director general; al menos, no en el sentido tradicional.

El mensaje de Brian y el modelo de la Holacracia hicieron tambalear mi mundo; si funcionaba como Brian sugería que podía funcionar, eso era exactamente lo que andaba buscando. Así que decidí con bastante rapidez apostar fuerte con nuestra empresa y probar el modelo. Tenía que descubrir si la holacracia funcionaba lo más deprisa que pudiera. El modelo parecía tan potente, que decidí que las dos únicas alternativas eran rechazarlo o adoptarlo; en cualquier caso, sin pérdida de tiempo.

Tuve (afortunadamente) la intuición de que analizar la holacracia iba a ser un proyecto de cinco años. Y aunque no fuera una buena opción para la trayectoria de nuestra organización, el modelo tenía tanta lógica cognitiva que valdría la pena la investigación; daba igual que nuestra frágil empresa fuera el conejillo de Indias.

Mi actividad profesional ha girado en torno a la mejora de la productividad, fundamentalmente de los individuos, y subsiguientemente de sus organizaciones. He visto que cuando los individuos clave implantan los mejores métodos de GTD, eso puede tener importantes consecuencias para sus ecosistemas enteros. Pero cuando escuché a Brian hablar sobre cambiar un proceso operativo fundamental para lograr el equivalente organizativo a la «mente como el agua» (una metáfora que uso para definir un estado de esclarecimiento del individuo alcanzado con GTD), supe que esa era una frontera que valía la pena explorar.

Cuando escribo esto, llevamos más de tres años con la implantación de la holacracia, y puede que mi previsión de cinco años fuera correcta. Cambiar el sistema operativo de una organización es una labor abrumadora. Nos habíamos enorgullecido de ser una empresa relativamente avanzada: flexible, abierta, transparente... Pero en cuanto implantamos algunos de los procesos de la holacracia, se hizo evidente que algunos de nuestros hábitos y prácticas mejor intencionados tendrían que ser transformados.

La parte fantástica de la historia es el cambio tan positivo que se produjo para todos nosotros desde el comienzo. Cambio positivo que continúa. En cuanto has disfrutado de la creciente claridad generada por sus formatos de reunión y comunicación, se hace difícil rechazar el sistema. Y una vez que experimentas la enorme mitigación en la presión cuando te olvidas de la necesidad de tener unos «dirigentes heroicos», invertir el sentido se antojaría como ser arrojado de nuevo por una ladera muy resbaladiza.

Como Brian señala, la holacracia no es una panacea: no resolverá todas las tensiones y dilemas de una organización, aunque, según mi experiencia, te proporciona el terreno más estable desde el que reconocerlas, formularlas y abordarlas.

Hay ocasiones en que a muchos nos encantaría demostrar que la holacracia no funciona; es fácil culpar al proceso de ser el responsable de nuestras incomodidades. ¡Pero tratar de hacerle un agujero a este modelo es más difícil que implementarlo! Y al resolver las tensiones que ha sacado a la luz, también ha intensificado nuestra conciencia de su práctica y sus consecuencias.

Lo verdaderamente maravilloso es que al modelo le da lo mismo. De hecho, deshacerse de él es completamente aceptable y está aceptado dentro del mismo modelo. ¡Pero querrás utilizar la holacracia para hacer ese cambio con la mayor elegancia posible!

DAVID ALLEN
Noviembre 2014
Ámsterdam, Holanda

PRIMERA PARTE

LA EVOLUCIÓN EN EL TRABAJO: PRESENTACIÓN DE LA HOLACRACIA

LA EVOLUCIÓN EN LA ORGANIZACIÓN

«Si todos tuvieran que ser originales pensando, quizá
lo que habría que arreglar sería la normalidad.»
—MALCOLM GLADWELL, *Lo que vio el perro*

Aprendí mi lección empresarial más importante el día que casi me estrellé con un avión. Estaba estudiando para sacarme la licencia de piloto privado, y había llegado el día de mi primer viaje de larga distancia en solitario. Volaría solo hasta un aeropuerto distante, y con apenas veinte horas de vuelo real a mis espaldas estaba algo más que nervioso. Tenía por delante cientos de kilómetros, y la única compañía que tendría una vez en el aire sería el desgastado panel de instrumentos de la cabina de mi pequeña avioneta biplaza.

Nada más despegar todo parecía ir bien, pero no transcurrió mucho tiempo antes de que reparara en una luz desconocida en el panel de instrumentos. «VOLTAJE BAJO», decía. No sabía muy bien qué significaba aquello; a los nuevos pilotos no les enseñan mucho sobre la mecánica del avión. Le di unos golpecitos a la luz con la esperanza de que fuera sólo una mala conexión, pero no hubo ningún cambio. No sabiendo muy bien cómo reaccionar, hice lo que se me antojó más natural en ese momento: comprobé todos los demás instrumentos en busca de anomalías. La velocidad y la altitud estaban bien; el sistema de ayuda a la navegación me indicaba que mantenía el rumbo a la perfección; la aguja del combustible indicaba que había gasolina de sobra. Todos esos instrumentos me estaban indicando que no tenía nada de qué preocuparme, así que acepté semejante consenso y dejé de hecho que los demás instrumentos ganaran por mayoría a la luz de voltaje bajo. La ignoré. No podía ser nada grave si nada más iba mal, ¿verdad?

Pues resultó ser una decisión pésima que al final me dejó completamente perdido, en medio de una tormenta, sin luces ni radio, casi sin combustible y violando el espacio aéreo controlado cerca de un aeropuerto internacional. Y esta casi catástrofe empezó cuando derroté en votos a la luz de bajo voltaje, que resultó que estaba en sintonía con una información distinta a la de todos los demás instrumentos. Aunque fuera una voz minoritaria, era la que de verdad tenía que haber escuchado en aquel momento. Despreciar su prudente aviso sólo porque mis demás instrumentos no veían ningún problema, fue una decisión imprudente que podría haberme costado la vida.

Por suerte, aunque hecho un flan, logré llegar ileso. Y durante los meses siguientes, cada vez que reflexionaba sobre las decisiones que había tomado ese día, llegaba a una interesante conclusión: que seguía cometiendo el mismo error. No en mi avión, sino en el equipo que se suponía dirigía en el trabajo. De hecho, el error casi fatal que cometí en la cabina del avión se comete a diario en la mayoría de las organizaciones.

Una organización, al igual que un avión, está equipada con sensores; en su caso no son luces ni agujas, sino los seres humanos que infunden vigor a sus funciones y perciben la realidad por ella. Ocurre a menudo que el «sensor» de una organización tiene una información esencial, la cual se ignora y por consiguiente acaba sin procesar. Un individuo se percata de algo importante, pero nadie más lo ve y no existen canales para transformar ese conocimiento en un cambio significativo. Es de esta manera con la que a menudo ganamos por mayoría a las luces que indican la falta de voltaje de nuestras organizaciones.

Estas toman conciencia de todo a lo que tienen que responder en su mundo a través de la capacidad humana de percibir la realidad que nos rodea. Y como nosotros los humanos somos todos distintos —tenemos diferentes talentos, formaciones, funciones, especialidades, etcétera— es natural que percibamos cosas diferentes. Donde hay varias personas, existen múltiples puntos de vista. Sin embargo, en la mayoría de los equipos, los puntos de vista cruciales que no se comparten por el líder o por la mayoría suelen ignorarse o despreciarse. Aunque intentemos hacer lo contrario, no sabemos integrar las perspectivas divergentes, así que acabamos volviendo a alinearnos con el líder o la mayoría. Superamos en votos a la persona que quizá tenga la información esencial que necesitamos para mantener el rumbo o seguir avanzando.

Siempre me ha fascinado *cómo nos organizamos* los humanos, la manera que tenemos de trabajar de consuno para alcanzar un fin. Antes de fundar mi propia empresa, solía ser presa de la frustración cuando me daba cuenta de que algo no estaba funcionando o podía ser mejorado y descubría que no podía hacer gran cosa con ese conocimiento, al menos no sin el esfuerzo heroico de enfrentarme a la burocracia, las políticas y unas largas y penosas reuniones. Mi intención no era únicamente quejarme; quería ayudar. Quería transformar esa *percepción* que tenía en un cambio significativo. Sin embargo, lo que solía encontrarme eran grandes obstáculos para hacerlo. No tardé en aprender que si el jefe no compartía mi frustración, y yo no era capaz de convencerle relativamente deprisa, ya podía ir olvidándome del asunto: la información que estaba percibiendo no iba a tener un gran efecto. Y si yo era la luz de voltaje bajo, entonces la organización estaba en apuros.

La capacidad humana para percibir *la discordancia en el momento presente y ver las posibilidades de cambio* me parece uno de nuestros dones más extraordinarios, ese espíritu creativo, incansable y permanentemente insatisfecho que nos tiene siempre tratando de ir más allá de donde estamos. Cuando tenemos esa sensación de frustración por un sistema que no funciona, un error que no para de repetirse o un proceso que parece ineficaz y engorroso, adquirimos conciencia de las diferencias entre cómo *son* las cosas y cómo *podrían ser*. A esto lo llamo tensión, porque es así cómo se experimenta a menudo, pero no le doy aquí una connotación negativa a la palabra. Podríamos calificar este estado de un «problema» que «debería» resolverse, o podríamos etiquetarlo como una «oportunidad» a aprovechar. Sea como fuere, no es más que la proyección de nuestra elaboración de sentido a la pura experiencia que llamo tensión: *la percepción de una diferencia concreta entre la realidad actual y las posibilidades percibidas*.

Encontramos un eco de esta definición en la palabra latina *tendere*, que significa «tender, extender». Como en una goma elástica que es estirada entre dos puntos, así hay una tremenda energía contenida en

esas tensiones que percibimos. Esa energía puede ser utilizada para ti-
rar de la organización hacia cada una de las posibilidades percibidas,
pero sólo si podemos aprovecharla con eficacia. Ahora bien, ¿de cuántas organizaciones puedes decir realmente que toda tensión percibida
por alguien en cualquier parte, puede ser convertida rápida y fiable-
mente en un cambio significativo? Como el cofundador de Hewlett-
Packard, Dave Packard, dijo en una ocasión: «Son más las empresas
que mueren de indigestión que de inanición».[1] Las organizaciones de-
tectan y abarcan mucho más de lo que pueden procesar y digerir con
eficacia. En lugar de eso, piensa en el valor que podría materializarse si
nuestros sensores tuvieran la capacidad para actualizar dinámicamente
los flujos de trabajo, las expectativas e incluso las mismas estructuras
de la organización, a la luz de cualesquiera tensiones que surjan mientras se hace el trabajo, sin provocar de paso ningún daño en otras
partes. Esto es mucho pedir, y, sin embargo, he sido testigo directo de
lo que puede suceder en una organización cuando sus sistemas pueden
hacerlo, y el cambio va más allá de crear unos mejores entornos labo-
rales o unos procesos más eficaces. Es algo que puede impulsar una
transformación mucho más profunda, al liberar la energía del diseño
evolutivo en la propia organización.

Puede que la evolución no sea un tema habitual en el mundo empresarial, pero su funcionamiento tiene una capacidad sin parangón
para producir unos sistemas exquisitamente elaborados que prosperan
en medio de la complejidad. Dicho de otra manera: la evolución es el
diseñador más inteligente que existe. Como escribió el economista Eric
D. Beinhocker: «Estamos acostumbrados a pensar en la evolución en
un entorno biológico, pero la moderna teoría evolutiva la ve como algo
mucho más general. La evolución es un *algoritmo*; es una fórmula mul-
tiusos para la innovación... que, por medio de su estilo especial de ensayo y error, crea nuevos diseños y resuelve problemas complejos».[2] Los
mercados, sigue explicando Beinhocker, son sumamente dinámicos,
pero la «descarnada verdad» es que la inmensa mayoría de las empresas
no lo son. Las organizaciones tienen una capacidad muy pequeña para
evolucionar y adaptarse; están sujetas a los procesos evolutivos desde el
punto de vista del mercado y pueden sobrevivir o morir de resultas de
ello, pero rara vez son por sí mismas unos organismos adaptativos, al
menos en algo más que en un plano meramente superficial.

¿Cómo podemos lograr que una organización no sea sólo *evolucionada* sino también *evolutiva*? ¿Cómo se puede reconvertir una compañía en un organismo evolutivo, que pueda percibir, adaptar, aprender e integrar? En palabras de Beinhocker: «La clave para funcionar mejor radica en "llevar dentro la evolución" y hacer que giren las ruedas de la diferencia, la selección y la multiplicación entre las cuatro paredes de la empresa».[3] Una forma potente de hacerlo es aprovechar la tremenda energía de percepción de la conciencia humana que está a disposición de nuestras organizaciones. Cada tensión que perciben los seres humanos es una señal que nos indica cómo podría evolucionar la organización para expresar mejor su propósito. Cuando estas tensiones pueden ser procesadas con rapidez y eficacia, al menos en la medida que puedan relacionarse con el trabajo de la organización, entonces esta puede beneficiarse de una mayor capacidad para evolucionar dinámica y permanentemente.

Aunque puede que esta sea una idea fascinante, se trata de una idea que es mucho más fácil de decir que de llevar a la práctica. Nuestras organizaciones simplemente no están pensadas para evolucionar rápidamente en función de las aportaciones de muchos sensores. Las organizaciones más modernas se crean siguiendo un modelo básico que maduró a principios de la década de 1900 y que desde entonces no ha cambiado gran cosa. Este paradigma de la era industrial actúa basándose en un principio que denomino «predice y controla»: esto es, buscan alcanzar la estabilidad y el éxito mediante un control centralizado y planificado por adelantado y la prevención de la desviación. En lugar de hacer evolucionar continuamente el diseño de una organización en función de las tensiones reales percibidas por las personas reales, el planteamiento del predice y controla se centra en diseñar el sistema «perfecto» de antemano para evitar las tensiones (y más tarde en la reorganización, una vez que los que están arriba, se dan cuenta de que no lo hicieron demasiado bien).

Este modelo funcionó bastante bien en los entornos relativamente simples y estáticos de la era en la que maduró: la era industrial. De hecho, supuso un salto adelante con respecto a los planteamientos anteriores, permitiendo nuevos niveles de coordinación, producción y progreso. Sin embargo, en el mundo postindustrial de la actualidad, las organizaciones se enfrentan a nuevos y significativos problemas: complejidad creciente, mayor transparencia, mayor interconexión, horizontes temporales más cortos, inestabilidad económica y medioambiental, y las exigencias de tener un efecto más positivo sobre el mundo. No obstante, incluso cuando los líderes asumen la necesidad de nuevos enfoques, los fundamentos del predice y controla de la moderna organización suelen fracasar a la hora de proporcionar la agilidad necesaria y deseada en este panorama de rápidos cambios y complejidad dinámica. Y la estructura de esta organización rara vez ayuda a prender la mecha de la pasión y la creatividad en el conjunto de los trabajadores. En pocas palabras: las organizaciones actuales se están quedando obsoletas a pasos agigantados.

A medida que las ruedas del cambio giran más y más deprisa en nuestra economía global cada vez más caótica, resulta imperativo que las empresas puedan adaptarse con mayor rapidez. Como el experto en gestión Gary Hamel afirmó recientemente en el World Business Forum celebrado en Nueva York: «El mundo se hace turbulento más deprisa de lo que lo hacen las empresas adaptables. Las organizaciones no fueron creadas para esta clase de cambios».[4]

Aprendí esto por las malas en mi primera experiencia laboral en las organizaciones. La mayoría de las tensiones percibidas por los individuos, incluido yo, sencillamente no tenían adónde ir. Las tensiones no son identificadas como uno de los mayores recursos de la empresa, así de simple. Cuando me di cuenta de que mi jefe no era capaz de utilizar mi capacidad humana para percibir y reaccionar, hice lo único lógico que podía hacer: yo mismo me convertí en jefe. Ya podía procesar realmente todo lo que percibiera, ¿no es así? Bueno, seguía teniendo un jefe por encima que actuaba de obstáculo, y otro, y otro más. Después de ascender en el escalafón empresarial durante un tiempo, me di cuenta de que la única manera de que fuera a tener la libertad para reaccionar a todas las tensiones que detectaba, sería abandonar por completo el sistema y fundar mi propia empresa.

Así que lo hice. Y me encantó… durante un tiempo. Pero pronto descubrí que incluso como director general de mi propia empresa de programación informática, estaba limitado. La propia estructura organizativa y el sistema de gestión en sí se convirtieron en un obstáculo para procesar todo lo que percibía, y la mera falta de horas al día se convirtió en un factor limitador: la complejidad que aterrizaba en mi mesa era demasiada para que la organización aprovechara totalmente siquiera mi propia consciencia de ser su director general. Y eso no era lo peor de todo.

El descubrimiento más doloroso fue que había creado el mismo tipo de sistema del que tanto tiempo y esfuerzo me había costado escaparme. Todos los que trabajaban para mí estaban en la misma posición que había estado yo; y mi organización no era mucho más capaz de aprovechar su capacidad de percibir la realidad que cualquier otra. Trataba de ser el mejor líder posible —habilitar a las personas y ser sensible a sus necesidades y problemas, evolucionar yo mismo, ser un «líder siervo» más consciente—, pero a pesar de todos mis esfuerzos, seguía topándome con una barrera invisible. La estructura, sistemas y cultura subyacentes de una corporación moderna no permiten el rápido procesamiento y la capacidad de respuesta necesaria para aprovechar totalmente el poder de todos los sensores humanos, así que daba igual lo que hiciera como líder. Así las cosas, empecé a buscar una manera mejor.

Una actualización del sistema operativo

Seguro que no soy el primero en señalar los límites de un diseño organizativo tradicional y la necesidad de encontrar nuevos enfoques. A lo largo de las dos últimas décadas, un número creciente de libros, artículos y conferencias han compartido puntos de vista sobre la organización que a todas luces están más allá de nuestras normas convencionales. A pesar de que cada uno de estos autores y pioneros tiene su enfoque exclusivo, no es difícil advertir algunos intereses generales: sobre una mayor adaptabilidad, unas estructuras más flexibles, una orientación de las partes interesadas más amplia; sobre trabajar con la incertidumbre; sobre nuevas maneras de involucrar a los empleados; sobre planteamientos de la empresa más sistémicos, etcétera. Cada uno de estos puntos de vista aporta una visión de lo que puede ser un nuevo paradigma cohesivo que cobra forma actualmente en el límite de la práctica organizativa.

Pero a pesar de la fuerza de estas ideas y técnicas del nuevo paradigma, observo sistemáticamente un enorme obstáculo a su desarrollo: cuando son aplicadas a un sistema organizativo que sigue estructurado convencionalmente, se produce un grave conflicto de paradigmas. En el mejor de los casos, las técnicas novedosas se convierten en una «prótesis añadida», algo que afecta sólo a un aspecto de la organización y que permanece en permanente conflicto con los demás sistemas que tiene alrededor. Por ejemplo, una nueva técnica de reuniones fantástica ayuda a fortalecer un equipo, pero sus miembros siguen constreñidos por una estructura de poder que opera fuera de la reunión y en todo el resto de la empresa. En el peor de los casos, los «anticuerpos corporativos» se liberan y rechazan la técnica añadida, una entidad extraña que no acaba de reflejar el modelo mental predominante de cómo debería ser estructurada y dirigida una organización. En cualquiera de los casos, el método novedoso no consigue desarrollar todo su potencial, por prometedor que sea, y no logramos ningún gran cambio de paradigma en el sistema organizativo.

Este es un enorme desafío para cualquiera que aplique ideas y técnicas vanguardistas a los sistemas convencionales. ¿Cómo podemos hacer evolucionar algún aspecto en la manera de organizarnos, cuando las innovaciones que intentamos utilizar entran en conflicto con el viejo paradigma que sigue vigente? Todo lo que he experimentado continuamente vuelve a apuntar a esta conclusión: para transformar de verdad una organización, debemos ir más allá de atornillar los cambios y en su lugar centrarnos en actualizar los aspectos más básicos del funcionamiento de la organización. Por ejemplo, piensa en cómo se definen y ejercen formalmente el poder y la autoridad, la manera en que está estructurada la organización y cómo establecemos quién puede esperar qué y de quién, o quién puede tomar qué decisiones y dentro de qué límites. Cuando cambiamos las cosas a este nivel, estamos instalando de manera efectiva un nuevo sistema operativo institucional, incorporando nuevas capacidades en el núcleo de la manera de funcionar la organización, de forma que podamos ir más allá de aplicar los cambios a un sistema que fundamentalmente está en desacuerdo con el proceso mismo del cambio.

Si eres lo bastante viejo para recordar la época en que la mayoría de los ordenadores personales operaban en el MS-DOS, piensa en el salto en las capacidades que supuso el advenimiento de un nuevo sistema operativo como Windows, o en el paso desde el viejo Apple II al Macintosh. En la década de 1980 habría sido difícil imaginar que mi pantalla negra con el texto verde en letras de imprenta no tardaría en ser reemplazada por una interfaz gráfica interactiva de actualización automática, fácil de utilizar y permanentemente conectada a una Red virtual mundial, con acceso instantáneo al acervo colectivo de información de todo el mundo, y que todo eso estaría disponible en un dispositivo que me cupiera en el bolsillo.

A pesar de la diferencia radical que supone un buen sistema operativo, podemos ignorarlo fácilmente y darlo por supuesto; no es más que una plataforma subyacente, a menudo invisible, aunque conforma todo lo que se construye encima. El sistema operativo de tu ordenador define el espacio en el que ocurre todo lo demás y las normas básicas a las que debe atenerse en su actuación. También define la manera en que está estructurado el sistema global, la forma de interactuar y cooperar de los diferentes procesos, y la distribución y asignación de la energía entre las aplicaciones, etcétera.

De igual forma, el sistema operativo que apuntala una organización es fácil de ignorar, pese a ser la base sobre la que levantamos nuestros procedimientos operativos (las «aplicaciones» de la organización), y ser también lo que moldea la cultura humana de la empresa. Quizá debido a su invisibilidad, no hemos visto muchas alternativas sólidas ni mejoras sustanciales a nuestro jerárquico Sistema Operativo del predice y controla y «aquí quien manda es el director general». Cuando inconscientemente aceptamos esto como nuestra única alternativa, lo mejor que podemos hacer es contrarrestar parte de sus debilidades fundamentales atornillando nuevos procesos o tratando de mejorar la cultura de toda la organización. Pero igual que muchas de nuestras actuales aplicaciones informáticas no funcionarían bien con el MS-DOS, los nuevos procesos, técnicas o cambios culturales que podríamos intentar adoptar, simplemente no funcionarían bien en un sistema operativo creado en torno a un paradigma más viejo.

Aunque al principio de mi aventura no me di cuenta de esto, mi misión personal de encontrar mejores maneras de trabajar juntos finalmente me llevaría a centrarme en la fundamental «tecnología social» de cómo nos organizamos. Tras muchos años de experimentación en diversas organizaciones, surgió un nuevo sistema operativo integral gracias a mis esfuerzos y los de muchas otras personas. Al final, lo llamamos Holacracia (término cuyos orígenes explicaré con detalle más adelante en este libro). ¿Qué es la holacracia? Esencialmente, es una nueva tecnología social para administrar y dirigir una organización, definida por una serie de normas básicas inequívocamente distintas a las de una organización gestionada de manera convencional. La holacracia incluye los siguientes elementos:

- una constitución, la cual establece las «reglas del juego» y redistribuye la autoridad
- una nueva manera de estructurar una organización y definir las funciones y esferas de autoridad de las personas dentro de ella
- un proceso de toma de decisiones exclusivo para actualizar dichas funciones y autoridades
- un proceso de reunión para mantener la armonía entre los equipos y que hagan el trabajo conjuntamente

Mientras escribo esto, la holacracia está fortaleciendo a cientos de organizaciones de muchos tipos y tamaños de todo el mundo, incluida HolacracyOne, la organización donde trabajo a diario (así que nosotros nos lo guisamos, y nosotros nos lo comemos, como se suele decir).

Los siguientes capítulos los dedicaré a divulgar la manera de repartir la autoridad de la holacracia y cómo esto se traduce en una nueva estructura organizativa. Luego, en la Segunda Parte, te guiaré a través de los elementos básicos del funcionamiento del sistema operativo, esto es, sus estructuras, procesos y sistemas. Esos capítulos no están pensados como un manual de instrucciones para instalar la holacracia en tu empresa; considéralos más bien un taller experimental donde puedes participar en diversas situaciones y simulacros y probar lo que se siente al trabajar en una organización guiada por la holacracia. Por último, en la Tercera Parte, te proporcionaré algunos consejos y directrices sobre cómo podrías proceder para aplicar lo que hayas aprendido en este libro y qué debes esperar cuando lo hagas.

Mi propósito en todo momento será transmitir cuáles son la apariencia y la experiencia de la holacracia en la práctica, contando historias y acontecimientos que frecuentemente refieren aquellas personas que trabajan en organizaciones guiadas por este sistema. Este es mi intento de abordar el desafío fundamental de escribir este libro: la holacracia es, sobre todo, una práctica, no una teoría, idea o filosofía, y resulta verdaderamente difícil comprender una práctica sin experimentarla. El método mismo de la holacracia surgió de la práctica: mediante el ensayo y error, la adaptación evolutiva y la experimentación continua, todo simplemente en un intento de liberar más capacidad creativa para que una organización exprese su propósito. Dado que la holacracia no fue creada sentándose y diseñando un sistema basado en ciertas ideas o principios, el desafío de transmitirla por medio de las palabras y los conceptos se vuelve todavía más complejo. Cuando vuelvo a mirar el resultado final, veo que aunque puede que haya extraído ciertos principios, estos fueron herramientas a posteriori para comprender lo que había surgido orgánicamente de la experimentación.

Por consiguiente, confío en que mis lectores no aborden este libro como si se tratara de una serie de ideas, principios o filosofías, sino como una guía para un nuevo método, el cual puedes decidir utilizar si te funciona a ti y a tu negocio mejor que cualquiera que estés utilizando actualmente. Aquí es donde la holacracia cobra realmente vida: en la labor cotidiana de convertir las tensiones en un cambio significativo, en aras de cualquiera que sea el propósito que la organización tiene como misión expresar. Por ello, mi meta en este libro es transmitir cuando menos una ligera idea de la *experiencia* de practicar la holacracia, y darte a conocer un poco de lo que una organización impulsada por la evolución hace posible.

LA DISTRIBUCIÓN DE LA AUTORIDAD

«Una buena constitución es infinitamente preferible
al mejor déspota.»

—THOMAS BABINGTON MACAULAY, *Milton*

«Las investigaciones demuestran que cada vez que una ciudad dobla su
tamaño, la innovación o productividad por habitante aumenta en un
15 por ciento. Pero cuando las empresas se hacen más grandes, la innovación o productividad por empleado generalmente desciende.»

Este dato fascinante me fue facilitado hace un par de años por un
hombre de pelo negro cortado al rape que se me acercó poco después
de que terminara mi exposición en una reunión de negocios. Muchos de
los asistentes llevaban traje y corbata; el hombre en cuestión iba vestido
con unos vaqueros y una camiseta, y, sin embargo, su aire de tranquila
intensidad traicionaba su aspecto informal.

«Bueno —prosiguió—, lo que a mí me interesa es cómo podemos
crear unas organizaciones que se parezcan más a las ciudades y menos
a las empresas burocratizadas.»

El desconocido caballero me acribilló a preguntas más o menos
durante los siguientes diez minutos. «¿Cree que la holacracia podría
conseguirlo?» Respondí que sí. «¿Cuál es la mayor empresa con la que
ha trabajado? ¿Cuántas empresas la están utilizando?» Hice todo lo
que pude para responder a sus preguntas con un ojo puesto en el reloj,
consciente de que llegaba tarde a la siguiente sesión. Mientras recorría
el pasillo a toda prisa, me di cuenta que no le había preguntado su

nombre en ningún momento ni tampoco la razón de que tuviera un interés tan apasionado en el tema.

Ese mismo día, algo más tarde, cuando ocupaba mi sitio para asistir a la conferencia principal de la noche, me sorprendió ver al hombre con el que había estado hablando antes, salir a escena entre una entusiástica salva de aplausos. Mi interrogador era Tony Hsieh, el humilde director general de la tienda virtual Zappos, autor de *Delivering Happiness ¿Cómo hacer felices a tus empleados y duplicar tus beneficios?*, y uno de los líderes más visionarios e innovadores del mundo de los negocios en la actualidad.

Tony y yo íbamos a poder continuar nuestra conversación más adelante durante la conferencia, y me contó más cosas de lo que estaba tratando de conseguir. «Zappos está creciendo —me dijo—. Hemos llegado a los mil quinientos empleados, y tenemos que ascender sin perder nuestra cultura empresarial ni empantanarnos en la burocracia. Así que estoy intentado encontrar una manera de dirigir Zappos más como una ciudad.»

«¡Sí!», respondí, feliz por encontrar a alguien que compartiera mi interés por esta clase de problemas. Hablamos sobre la diferencia entre la organización burocrática de una empresa y la organización autónoma de la gente en una ciudad. En un entorno urbano, las personas comparten el espacio y los recursos a nivel local, entendiendo las fronteras y responsabilidades territoriales. Como es natural, hay leyes y órganos de gobierno que definen y hacen cumplir esas leyes, pero la gente no tiene jefes que la esté mangoneando a todas horas. Si los habitantes de nuestras ciudades tuvieran que esperar la autorización del jefe para todas las decisiones que toman, la ciudad se paralizaría rápidamente. Sin embargo, en nuestras empresas, vemos que impera un principio organizativo muy distinto.

¿Cómo distribuyes la autoridad?

La analogía de Hsieh apunta a la cuestión esencial a la que me había enfrentado cuando trabajaba en la creación de un nuevo sistema operativo y organizativo más ágil y receptivo: ¿cómo capacitas a una organización para que se organice a sí misma de manera eficaz?

Otra de mis metáforas favoritas de lo que pretendo lograr dentro de una organización es un sistema que todos conocemos muy bien: el cuerpo humano. El más que milagroso cuerpo humano no funciona eficiente y eficazmente con un sistema jerarquizado de órdenes, sino con un sistema distribuido: una red de entidades organizadas autónomamente distribuidas por todo el organismo. Cada una de estas entidades, que no son otras que tus células, órganos y sistemas orgánicos, tiene capacidad para asimilar mensajes, procesarlos y generar un resultado. Todas y cada una tienen una función y la autonomía necesarias para organizar la manera de realizar esa función.

Piensa en la cantidad de información que procesa tu cuerpo a cada momento. Es extraordinaria. ¿Existe alguna manera de que el cuerpo pudiera funcionar si centralizara toda la información que procesa en lo más alto, en la mente consciente? Imagínate, por ejemplo, que tus glóbulos blancos, cuando detectaran una enfermedad, tuvieran que enviar la información a tu mente consciente y entonces esperar a que autorizaras la producción de anticuerpos. ¿O si tus glándulas suprarrenales, al detectar que estás reaccionando a un peligro, tuvieran que esperar tus órdenes antes de producir la adrenalina que te proporcionará la energía para luchar o huir? Esto no funcionaría en absoluto. Y, sin embargo, es como esperamos que funcionen nuestras organizaciones.

Los líderes de la cultura empresarial contemporánea con visión de futuro también son muy conscientes de los problemas que plantea el jerarquizado paradigma del predice y controla. Ven sus limitaciones y notan sus insanas consecuencias. Pero ¿qué debe hacer el noble y bienintencionado jefe? Con frecuencia, intentar capacitar a los demás, igual que los buenos padres buscan capacitar a sus hijos. En la actualidad existe una opinión predominante de que mejorar las organizaciones significa poner al mando unos jefes responsables, sensatos y sumamente preparados que hagan las veces de unos «buenos padres».

El problema que entraña este planteamiento me fue expuesto con suma claridad por una obra de teatro que fui a ver hace varios años, escrita por uno de mis escritores de literatura económica favoritos, Barry Oshry. Se trataba de un brillante drama sobre las organizaciones, que contenía una escena que me impresionó de verdad. Un jefe muy querido acababa de ser despedido, y uno de los miembros de su equipo, lamentando la marcha de su jefe, se volvió hacia su compañero de trabajo y le preguntó: «¿Y quién nos capacitará ahora?»

La deliberada ironía que encierra la frase me pareció tan dolorosa como esclarecedora. Por descontado, la necesidad de que otro te capacite es una actitud victimista básicamente incapacitante, y apunta al desafortunado efecto secundario de la bienintencionada labor de ese jefe: al «fortalecer heroicamente a los demás» en el seno de una estructura empresarial inherentemente incapacitante, paradójicamente asigna a los demás el papel de víctimas.

Con independencia de cuántos de los mejores directivos actuales puedan querer capacitar a los demás y otorgarles voz, la estructura de poder formal en la mayoría de las empresas modernas es la de una dictadura. Como expresó uno de nuestros clientes: «Desde el principio, mi socio cofundador y yo quisimos dirigir nuestra empresa de una manera igualitaria, a fin de lograr que todos fuéramos una piña. Pero tal como estaba estructurada nuestra empresa y la manera en que se estableció el proceso, seguíamos tratando de "dirigirla" sobre la base de un organigrama, en virtud del cual la gente tenía que darme cuenta de su trabajo. No teníamos un proceso para enfocarlo de otra manera, ninguno en el que pudiéramos confiar para que hiciera funcionar el sistema».

Esta dependencia última en el director general o equivalente limita la capacidad para aprovechar todas las tensiones percibidas dentro de una organización, y crea un sencillo punto potencial de fracaso en la capacidad de esta para gobernarse a sí misma con eficacia. Como el escritor de literatura económica Gary Hamel escribió: «Dale a alguien una autoridad como la de un rey, y tarde o temprano se producirá un desastre real». Hamel continúa señalando que en la mayoría de los casos «los directivos más poderosos son los que están más alejados de las realidades del frente. Demasiado a menudo, las decisiones adoptadas en la cima de un Olimpo resultan ser impracticables en la base».[5]

Un amigo me contó una historia sobre una fábrica que había contratado recientemente a un nuevo director general y que ilustra este aspecto. Impaciente por dar ejemplo, el nuevo jefe bajó un día al taller. Una vez allí, vio a un grupo de trabajadores ocupados en sus puestos, mientras que un tipo apoyado en la pared sin hacer nada los observaba. El director general se dirigió con paso decidido hacia el individuo y le preguntó: «Usted, ¿cuánto dinero gana?» «Doscientos o trescientos pavos a la semana», le respondió el sujeto, que parecía un poco desconcertado. El director general sacó su cartera y le entregó 600 dólares. «Aquí tienes la paga de dos semanas; estás despedido.» Cuando el hombre abandonó a toda prisa el edificio, el director general se volvió hacia el taller y declaró: «Aquí no nos dedicamos a esto. ¡Aquí siempre estamos ocupados!» Mientras se dirigía de vuelta a su despacho, se detuvo para preguntar a unos de los asombrados operarios qué cometido tenía realmente aquel tipo en la empresa. La respuesta fue: «Ese era el repartidor de las pizzas».

Este es un ejemplo divertido, pero con demasiada frecuencia los resultados del poder autocrático no tienen nada de gracioso cuando este se ejerce en la esfera de otro. Crea tensiones que no hay manera de que se procesen eficazmente.

¿Qué haremos si queremos ir más allá de un modelo de gestión autocrático y de la necesidad de capacitar en el seno de un sistema incapacitante? ¿Cómo podemos obtener los beneficios de la verdadera autonomía, como hacemos en una ciudad o en nuestros organismos, al tiempo que también satisfacemos las legítimas necesidades para conseguir la armonía y el control en la organización? Algunas empresas abandonan audazmente la convención e intentan omitir completamente cualquier estructura de poder, o bien utilizan sólo una definida en sus mínimos términos. Eso puede funcionar hasta cierto punto, pero plantea un peligro avieso: si no hay una estructura de poder explícita, surgirá otra implícita. De una u otra manera, las decisiones tienen que tomarse y las expectativas han de fijarse, y las normas sociales se crearán en función de cómo se lleven a cabo esas funciones. Las organizaciones que intentan renunciar a una estructura de poder explícita acaban por consiguiente con una implícita, la cual suele ser bastante política y en cierto modo resistente al cambio. Esta estructura menos consciente podría seguir siendo más eficaz que una jerarquía directiva convencional en algunos ambientes, pero creo que podemos hacerlo mucho mejor.

Algunas pequeñas empresas incipientes y otras sin ánimo de lucro intentan dirigir sus organizaciones a través del consenso. Probé esta fórmula en los albores de mi empresa de programación informática; andaba buscando un enfoque que permitiera que se escucharan todas las opiniones, así que parecía lógico darle a todos voz y voto en la toma de decisiones. La realidad, sin embargo, era que no se tomaban tantas decisiones, y que nos pasábamos todo el tiempo reunidos en lugar de hacer el trabajo. Como pude descubrir, hay una enorme diferencia entre tener voz y ser capaz de *hacer* algo con ella; ser capaz de convertir realmente lo que percibes en un cambio significativo. Y eso el consenso no lo logró. De hecho, todo se tradujo en unas largas y penosas reuniones donde tratábamos de obligar a todo el mundo a que vieran las cosas de la misma manera. Tal cosa no es útil ni saludable y no hace más que empeorar a medida que la organización crece.

Por consiguiente, el consenso no tiene un avance escalonado adecuado, y se requieren tales cantidades de tiempo y energías inútiles para tomar una decisión, que las más de las veces el sistema se acaba evitando. Esto deja a las organizaciones basadas en el consenso con los mismos problemas que aquellas sin una estructura explícita. Aun cuando se alcance el consenso, el resultado suele ser una decisión grupal descafeinada que se vuelve muy difícil de cambiar, endosando a los potenciales innovadores unas estructuras arraigadas poco ideales para abrirse camino. Mientras que los planteamientos basados en el consenso suelen venir motivados por un verdadero deseo de aceptar y atender las voces de más personas, rara vez sirven para un eficaz aprovechamiento de la verdadera organización autónoma y la agilidad en toda una empresa.

Si una organización quiere ser dinámica y tener capacidad de respuesta, entonces rechazar la autoridad autocrática por completo no dará resultado. De hecho, los individuos necesitan que se les otorgue el poder para reaccionar a los problemas «localmente» en el ámbito de su campo o trabajo, sin tener que estar a expensas de la aprobación de los demás o de la confianza de un jefe capacitador que les dé permiso. Para trascender los límites de la capacitación y la tiranía del consenso, necesitamos un *sistema* que capacite a todos.

Esto nos lleva de nuevo a la metáfora de la ciudad de Hsieh, y, de hecho, a la sociedad civil moderna en su conjunto. Como ciudadano, no necesitas a un dictador benevolente que te «capacite» para que actúes autónomamente; de entrada, en su lugar, el marco social que te rodea está diseñado para evitar que los demás reclamen tener poder sobre ti. Este es el cambio que está en el meollo de la holacracia: el reconocimiento de que cuando la estructura de autoridad central y los procesos de una organización fundamentalmente dejan espacio para que todos tengan y utilicen el poder, y no permiten que nadie —ni siquiera un jefe— se apropie del de los demás, entonces ya no necesitamos confiar en los jefes que capaciten a los demás. En su lugar tenemos algo mucho más poderoso: un espacio en el que todos podemos encontrar nuestra propia capacitación, y un sistema que protege ese espacio con independencia de las acciones de cualquier individuo, sea cual sea su posición.

Poder para el proceso

Con la holacracia, distribuir la autoridad no es sólo una cuestión de quitarle el poder de las manos a un jefe y dárselo a otro o incluso a un grupo. Antes bien, la sede del poder pasa de la persona que está en lo más alto a un proceso, el cual está definido de manera detallada en una constitución escrita. La constitución de la holacracia es un documento genérico aplicable a cualquier organización que desee utilizar el método; una vez adoptada formalmente, la constitución de la holacracia actúa como el reglamento básico de la organización. Sus normas y procesos ostentan la supremacía y prevalecen incluso sobre la persona que la adoptó. Al igual que un congreso constituido constitucionalmente que determina las leyes que ni siquiera puede ignorar un presidente, así también la constitución de la holacracia determina que la autoridad de la organización descansa en un proceso legislativo, y no en un legislador autocrático.

Puedes encontrar la constitución de la holacracia en la Red en holacracy.org/constitution, aunque no necesitas leerla para aprender la holacracia. Leerse un reglamento rara vez es el mejor planteamiento para aprender un juego nuevo y complejo; suele dar mejores resultados limitarse a aprender las directrices básicas y entonces empezar a jugar, acudiendo al reglamento como referencia cuando sea necesario. Aun así, es fundamental saber que *hay* un reglamento y aceptar atenerse a él; un juego no es tal cuando una persona se inventa las normas sobre la marcha. Cuando trabajo con una organización para la implantación de la holacracia, el primer paso es que el director adopte formalmente la constitución de esta y ceda su poder al sistema normativo. Al liberar heroicamente la autoridad en el seno del sistema, el jefe allana el camino para la verdadera distribución del poder entre todos los niveles de la organización.

Este cambio del liderazgo personal al poder derivado de la constitución es parte esencial del nuevo paradigma de la holacracia. Incluso con las mejores intenciones y unos jefes fantásticos, el sistema jerarquizado de autoridad conduce, casi inevitablemente, a que entre el jefe y el empleado se instale una dinámica paterno-filial. Los arquetipos familiares son casi imposibles de evitar; el resultado es que los trabajadores se sienten unas víctimas incapacitadas y los directivos se ven abrumados por la sensación de que es cosa suya asumir toda la responsabilidad y ocuparse de las tensiones de todos. La holacracia le dice a los jefes: «Ya no es cosa tuya resolver los problemas de todos y asumir la responsabilidad de todo». Y a los trabajadores les dice: «Tienes la responsabilidad, *y la autoridad*, para ocuparte de tus propias tensiones». Este sencillo cambio saca a todos los implicados de la dinámica paterno-filial que está tan profundamente enraizada en nuestra cultura organizativa y los introduce en una relación funcional entre adultos autónomos y autogestionarios, cada uno de los cuales tiene el poder para «dirigir» su propia función al servicio del propósito de la organización.

Cuando en las empresas con las que he trabajado se produce este cambio, se manifiesta como una revelación y un desafío para todos los implicados. Los trabajadores se dan cuenta que ya no son unos meros empleados que obedecen órdenes; ahora tienen un poder y una autoridad reales, que llegan acompañados de la responsabilidad. Ya no tienen a un jefe, que es como un padre, que les resuelve los problemas. Los jefes, por su parte, se suelen sentir liberados de la carga de la gestión, aunque tienen que encontrar un nuevo sentido a su propio valor y contribución y cambiar la manera en que acostumbran a utilizar y conservar la autoridad. Uno de los aspectos más interesantes de mi trabajo consiste en recordar a los directores generales que han adoptado recientemente la holacracia que «ya no tienen la autoridad para tomar esa decisión». Y, por otra parte, también tengo que recordar a los demás que «tienes la responsabilidad y la autoridad para tomar esa decisión; eso es cosa tuya, y no es labor del jefe decirte lo que tienes que hacer ni bendecir tu decisión».

Curiosamente, la mayoría de los directores generales con los que he trabajado encuentran que este cambio les supone un alivio tremendo. Puede que esto sea una sorpresa para algunos. Bernard Marie Chiquet, un profesor de holacracia que vive en París y que él mismo fue director general, dice que la gente suele pensar que debe ser difícil convencer a un director general a renunciar a su poder, y, sin embargo, eso no se corresponde con su experiencia. Antes al contrario, se ha encontrado con que a muchos directores generales experimentados les seduce la idea de ceder el poder que les corresponde personalmente a un proceso organizativo, siempre que puedan encontrar la manera segura de hacerlo para que eso satisfaga las necesidades de la organización de la manera más efectiva. Por mi parte, puedo decir lo mismo. Durante una comida que mantuvimos juntos, Evan Williams, cofundador de Twitter y, más recientemente, de Medium, me describió el miedo que le invadió cuando, después de marcharse de Twitter, consideró la idea de crear otra empresa desempeñando el papel de un director general tradicional, con todas sus cargas y distracciones del trabajo que más disfrutaba, el creativo. Si adoptó la holacracia en Medium fue en parte para que ese peso no cayera exclusivamente sobre sus hombros; lejos de tener que «convencerse», lo que concretamente le atrajo de la holacracia fue su distribución de la autoridad.

Esto es también lo que intrigaba a Hsieh de Zappos sobre la holacracia: su promesa de una manera segura y práctica de distribuir el poder real y, por consiguiente, de permitir la organización autónoma, por medio de un proceso de gobernanza definido constitucionalmente. Después de nuestro primer encuentro, Hsieh me invitó a conocer a su equipo y decidió implantar la holacracia experimentalmente en un pequeño departamento de su organización. La experiencia fue lo bastante satisfactoria para que, en 2013, decidiera extender el sistema a toda su empresa. Yo estaba emocionado… y un poquito inquieto. Esa sería, de lejos, nuestra mayor adopción hasta el momento. ¿Cómo funcionaría la holacracia a una escala de una empresa de mil quinientos empleados? ¿Crearía el entorno de organización autónoma y colaboración al estilo de una ciudad que Hsieh andaba buscando? Yo sabía que el sistema poseía el potencial para hacerlo exactamente así en organizaciones más pequeñas, de forma que estaba impaciente por verla actuar en ese escenario mayor.

Lo que el equipo de Zappos experimentó a lo largo del siguiente año, como en muchas empresas más pequeñas antes que ellos, es que la holacracia es capaz de capacitar verdaderamente a todos. «El poder que tenían los jefes se distribuye ahora entre cada uno de los emplea-dos», son palabras de Alexis Gonzales-Black, que trabajaba en el equi-po que encabezó la puesta en marcha. «Ahora todos son responsables de usar su experiencia laboral para hacer avanzar la empresa.» El cam-bio no fue fácil: «Formar a los jefes para que den un paso atrás, y a la gente para que de un paso al frente es realmente difícil», observa Gon-zales-Black. «Con la holacracia en funcionamiento, cada individuo puede dar un paso adelante para resolver su propia tensión y procesar-la abierta y libremente. Pero esta no es una habilidad que la gente ad-quiera de manera natural. Cuanto más practiques la holacracia, mejor llegarás a ser en ella; es un músculo que tienes que crear y entrenar.» Cuando los empleados se acostumbraron a su nueva autoridad, lo que Alexis observó fue una mentalidad de emprendedor en la que todo el mundo se siente motivado a preguntarse: «Si esta empresa fuera mía, ¿qué haría?»[6]

Al distribuir el poder de esta manera, la holacracia da libertad a los que están dentro de la organización para que sean simultáneamente más autónomos y colaboradores. En una organización impulsada por la holacracia, no hay más jefes, lo cual, como expresó uno de mis clien-tes recientemente, «suena como a caos democrático, aunque la verdad es que es bastante autocrático». Con la autoridad evidente y distribui-da, nadie tiene que andar con pies de plomo con un asunto para lograr el consenso, ni presionar para conseguir que los demás vean las cosas como las ve uno. Esto libera a las personas para actuar con confianza, sabedoras de que un proceso legislativo les ha concedido esa autoridad con las aportaciones y consideración debidas. Y, al mismo tiempo, al-guien con una autonomía evidente es libre de pedir ayuda, aportaciones y diálogo, y los demás son libres de darlas y de exponer sus ideas, sin riesgo alguno de que el proceso llegue a un punto muerto consensuado o a un decreto autocrático de un jefe ocupado y demasiado alejado del asunto. En cuanto el que tiene la autoridad recibe suficientes aportacio-nes para tomar una decisión con confianza, puede cortar cómodamente el diálogo, dar las gracias a los implicados, y tomar esa decisión. Y todo esto genera unas mayores cotas de flexibilidad, capacidad de reacción, y adaptabilidad en el seno de la organización.

Pero esto también libera la energía creativa de los antiguos jefes de unas formas sorprendentes y de gran alcance. Volviendo a nuestra anterior analogía, si el cuerpo humano no fuera un sistema de autoridad distribuida, donde las diferentes células, órganos y sistemas tiene cada uno autonomía, autoridad y responsabilidades evidentes, la mente consciente tendría una enorme carga de gestión. Pero dado que nuestra energía consciente no es necesaria para la toma permanente de decisiones de nuestro funcionamiento físico, esto la libera para ocuparse de todas las iniciativas creativas extraordinarias que definen la cultura humana. A mi modo de ver, esto también es cierto en las organizaciones. Cuando consigues que todas las partes de la organización posean y gestionen localmente la responsabilidad real, reaccionando autónoma y eficazmente, esto libera a los antiguos «jefes» para que se centren en un nivel completamente distinto: implicarse en las cuestiones creativas más importantes sobre la manera de manifestar el propósito de la organización en el mundo.

La introducción de la gobernanza

Existe un término técnico para denominar el proceso por el cual asignamos poder o autoridad dentro de una organización: la «gobernanza». En la mayoría de las organizaciones que funcionan sin la holacracia, puede que en lo más alto se desempeñe alguna gobernanza o esté establecida en los estatutos, pero por lo demás se presta escasa atención consciente a definir con claridad las autoridades y responsabilidades. Y cuando *sí* se presta esa atención, el contexto suele ser una gran reorganización que origina tantos problemas como los que resuelve y que acaba desconectada de las verdaderas necesidades de la realización del trabajo. Con la holacracia en funcionamiento, la gobernanza se da consciente y regularmente, distribuida por toda la organización. Ya no se trata de la función de ningún jefe único, sino que se convierte en un proceso continuo que ocurre a un nivel de equipo por equipo en unas «reuniones de gobernanza» especiales.

De esta manera, la holacracia toma parte de las funciones de diseño organizativo que tradicionalmente conviven con un director general o un equipo directivo y las sitúa en unos *procesos* que se promulgan por toda la organización con la participación de todos. Este proceso de gobernanza distribuye la autoridad y aclara las expectativas por toda la organización, y es dirigido por los que hacen el trabajo de esta y perciben las tensiones sobre la marcha. En la gobernanza se aprovechan las tensiones para aclarar no sólo cuestiones como: «¿Quién toma qué decisiones y dentro de qué límites?», sino también las expectativas que los demás puedan tener sobre aquellos mientras hacen uso de esa autoridad. La gobernanza genera claridad organizativa, y luego la hace evolucionar permanentemente para incorporar los últimos conocimientos del equipo y ajustar sus realidades cambiantes.

Cómo funciona

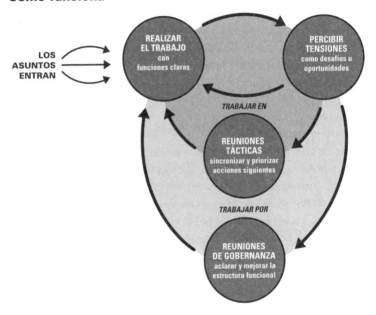

    Es más fácil comprender la gobernanza en relación a la otra esfera de la vida organizativa con la que generalmente estamos más acostumbrados: las «operaciones». Las operaciones tienen que ver con la realización del trabajo: identificar resultados a conseguir, tomar decisiones concretas, asignar recursos, adoptar acciones y coordinar estas acciones con otras. La gobernanza tiene que ver con la *forma* de trabajar: el patrón de organización que seguimos, a diferencia de las decisiones concretas que tomamos dentro de dicho patrón. Se trata de una estrategia de nivel meta para la empresa. La gobernanza trata de la estructura del trabajo de la organización, y de las autoridades y expectativas que la acompañan. Tanto la gobernanza como las operaciones pueden estar impregnadas de una estrategia relevante, lo que significa tener una norma general o tema principal para aplicar a un equipo cuando avanza paulatinamente hacia la expresión del propósito de la organización.

Un sencillo ejemplo extraído de mi empresa puede ilustrar la diferencia entre estas dos esferas de la actividad. Nosotros proporcionamos, entre otros servicios, formación pública en holacracia, y, como es natural, tenemos que escoger un hotel para que nos sirva de escenario. Cada alternativa tendrá sus propias ventajas e inconvenientes, y la elección es un ejemplo de propuesta y decisión operativa. Ahora bien, la propuesta de la gobernanza sería: «¿Qué función tiene la autoridad para tomar esa decisión, con qué limitaciones y qué podemos esperar de esa función como condición para que tenga esa autoridad?» Quienquiera que desempeñe esa función usará esa autoridad, concedida en gobernanza, para tomar la decisión operativa concreta de qué hotel utilizar para un curso de formación determinado. La persona también puede aplicar una estrategia más amplia como directriz general que le ayude a tomar la decisión, tema este sobre el que volveremos más adelante.

Casi cualquiera que forme parte de una organización ha intervenido en operaciones y tomado decisiones, y probablemente haya aplicado algún tipo de estrategia para guiar sus decisiones. Sin embargo, para la mayoría de las personas participar en la gobernanza es un gran cambio, porque la mayor parte de las organizaciones andan escasas en lo que se refiere a un proceso de gobernanza explícito o a la claridad que tales procesos generan; que la gobernanza exista suele ser irrelevante e ignorado (por ejemplo, la típica «descripción del puesto de trabajo»), si no hay un proceso claro para actualizarla dinámicamente. No obstante, la claridad de la gobernanza que mantiene su pertinencia tiene una tremenda influencia, y responde a preguntas tales como:

¿Cuáles son las actividades actuales a las que tenemos que prestar atención y a quién pertenecerá cada una?

¿Qué expectativas puedo esperar razonablemente de los demás, y viceversa?

¿Quién tomará qué decisiones y con qué limitaciones?

¿Qué decisiones puedo tomar y qué acciones puedo realizar sin tener que convocar una reunión?

¿Qué políticas o limitaciones respetaremos en nuestro trabajo en común?

¿Cómo podemos cambiar las respuestas a estas preguntas a medida que aprendamos mejores maneras de trabajar juntos?

Cuando un grupo cualquiera de personas se junta para realizar una tarea o misión específica, surgen preguntas de este jaez, y aunque no las discutamos, hacemos conjeturas acerca de las respuestas. No tienes más que observar a un grupo de niños que estén jugando a un juego: la gobernanza implícita define las normas, funciones y parámetros que delimitan su juego. En muchas situaciones, la gobernanza implícita funciona perfectamente, hasta que, por alguna razón, ya no funciona más. Puede que las suposiciones implícitas entren en conflicto, o que quizá alguien quiera desarrollar la norma históricamente operativa para incorporar algún nuevo conocimiento. Siempre que haya necesidad de adaptar o desarrollar las normas y conjeturas implícitas, un proceso de gobernanza explícito puede resultar transformador.

Empero, la mayoría de las organizaciones actuales carecen de tales procesos explícitos, al menos más allá de un nivel de consejo de administración. Por el contrario, la mayoría de los reglamentos organizativos (o su equivalente) otorgan formalmente el poder de gestionar las operaciones de la organización a algunos de los jefes de mayor rango, un director general, director gerente o cualquiera que sea la denominación utilizada. Este director general puede entonces definir las autoridades y expectativas para toda la empresa, o delegar parte del poder para hacerlo, aunque rara vez esta definición o delegación se hace con alguna claridad significativa o lo bastante deprisa para seguir el ritmo a todas las oportunidades de aprendizaje disponibles. En un mundo que cambia cada día más deprisa, la gobernanza tiene que convertirse en una parte permanente de la manera de funcionar de una organización, y las preguntas relativas a ella son igual de pertinentes en el taller que en la sala de juntas. Aun es más, las personas que trabajan en primera línea suelen estar mejor situadas para impulsar las mejoras continuas dentro de su contexto y controlar los resultados de un día para otro. Volviendo a nuestro ejemplo anterior, el encargado del taller es improbable que despidiera al repartidor de las pizzas. Pero sin un proceso de gobernanza explícito para cada equipo, las oportunidades para mejorar los patrones organizativos, seguirán en buena medida centralizados: permanecerán con el jefe que tiene el poder de dictar autocráticamente la estructura de la organización, la persona que está en lo más alto.

Cuando de hecho distribuimos el poder entre los que están en primera línea, aumentamos espectacularmente la capacidad de la organización para aprovechar las aportaciones y apresar el conocimiento, resolviendo así un problema con el que tienen que lidiar muchos líderes cuando sus empresas empiezan a crecer. Evan Williams lo expresó de esta manera: «Antes, contrataba a estas personas increíbles, pero, a medida que la empresa se hacía más grande, tenía la impresión de que cada vez obtenía menos de ellas. En parte, esto se debía a que tenían ideas o preocupaciones o puntos de vista que eran pertinentes fuera de su área particular, pero no estaba claro qué hacer con eso».[7] Con demasiada frecuencia, esta incapacidad para implicarse deja a los trabajadores en situación de indefensión y desconectados, desprovistos de una salida útil o saludable para mejorar el estado de las cosas. Williams describía la manera en que la holacracia «te permite aprovechar realmente las perspectivas e ideas de todo el mundo, y aunque no las aceptes todas, al menos eso rebaja la angustia de la gente porque hay un camino para procesarlas, y además hay transparencia».

Mientras que a los que están en lo más bajo del escalafón de las organizaciones convencionales puede parecerles que la holacracia les alivia la frustración de no ser oídos, a los que están en lo más alto, que suelen estar igual de frustrados, también puede parecerles que es un tremendo alivio. Los jefes se enfrentan a una complejidad y sobrecarga abrumadoras, con más problemas e información de los que pueden procesar con eficacia. David Allen, creador de la metodología GTD, es uno de los expertos más destacados en organización y productividad personal, y, sin embargo, admite incluso que las expectativas depositadas en él como director general convencional fueron imposibles de controlar. «Como la persona situada en lo más alto —me contó—, apenas tenía el ancho de banda para tomar una pequeña parte de las decisiones que se me planteaban desde abajo. Así que o no estaba disponible para tomar esas decisiones o no podía tomarlas con responsabilidad.»[8] Al distribuir el trabajo de desarrollar la organización por toda la empresa, la holacracia disminuye la sobrecarga en lo más alto y la falta de compromiso hallada en otras partes, mientras inculca nuevas capacidades para el aprendizaje y la adaptabilidad por toda la organización. David siguió describiéndome los resultados de adoptar la holacracia en su empresa como «un enorme alivio. Este cambio de paradigma me ha quitado un enorme peso psicológico, e incluso físico».

Michael Gerber, autor del clásico manual de iniciativa empresarial *El mito del emprendedor*, señala que uno de los mayores errores que suelen cometer los emprendedores es el de quedarse atrapados trabajando *en* sus empresas en lugar de trabajando *por* sus empresas.[9] Trabajar por la empresa constituye la esencia de la gobernanza, y la constitución de la holacracia dispone explícitamente el proceso a todos los niveles de la organización y para todas las personas involucradas. El resultado de este proceso de gobernanza permite entonces a la gente trabajar *en* la empresa —dirigir su operaciones— con mayor autonomía y rapidez. Es mucho más fácil y seguro ejecutar con rapidez y autonomía y hacer el trabajo cuando sabes exactamente la autoridad que tienes, qué es lo que se espera de ti y qué límites tienes que respetar, y además tienes un proceso para actualizar este conocimiento a medida que tiene lugar el aprendizaje y el entorno va cambiando.

El descubrimiento del propósito

He mencionado repetidamente el concepto «propósito» de una organización. Aunque hoy día esto no sea tan raro en un libro sobre empresa, vale la pena dedicar un momento a explicar a qué me refiero cuando hablo de «propósito», y a qué no. A veces, cuando estoy trabajando con un grupo de fundadores, socios o miembros del consejo, especialmente de organizaciones orientadas a las personas, en un momento u otro les pido a cada una de esas personas que me cuenten sus esperanzas, sueños, ambiciones y deseos más íntimos para la organización. El momento en que los presentes cuentan lo que más anhelan que haga y sea en el mundo la organización, es siempre un momento vigoroso, pletórico de autenticidad e inspiración. Y entonces digo: «Permite que te señale el mayor obstáculo para revelar el propósito de esta organización: es todo lo que acabas de decir: tus esperanzas, deseos, etcétera».

La gente se suele quedar sorprendida al oír esta afirmación, pero en cuanto entienden la idea, la cosa puede ser bastante reveladora. Por supuesto que sus esperanzas, sueños, ambiciones y deseos no tienen nada de malo, y, sin embargo, estas cosas son a menudo proyectadas en la organización y oscurecen su propósito. Volviendo a la metáfora que he utilizado antes, esta gente corre el riesgo de tratar a la organización como un padre autoritario podría tratar a un hijo. La mayoría de los padres con los que trabajo entienden que proyectar sus esperanzas y sueños en sus hijos limitará a estos para que encuentren su propio camino en la vida. Socialmente, hemos llegado a aceptar que los hijos no son una propiedad que tenga que ser moldeada a voluntad de sus padres; son seres independientes con habilidades, talentos y pasiones exclusivas. Y cuando intentamos imponerles nuestras visiones, nos estamos resistiendo a esta realidad, a menudo en detrimento de ambas partes, y sin duda en detrimento de la relación. Me parece que otro tanto es válido para nuestras organizaciones y sus relaciones con los fundadores, jefes y otros responsables.

Cada organización tiene cierto potencial o capacidad creativa que es el más idóneo para expresarse de forma duradera ante el mundo, teniendo en cuenta todo aquello de lo que dispone: historia, empleados, recursos, fundadores, marca, capital, relaciones... Esto es a lo que me refiero cuando hablo de su propósito o *raison d'être*: su razón de ser. Esto no es necesariamente el propósito que nosotros, fundadores o líderes, queremos para la organización, aunque normalmente son los fundadores los que siembran la semilla; los años de formación de una empresa, «todo de lo que dispone» quizá no sea mucho más que las pasiones de los fundadores, y estas moldearán el propósito, al menos durante algún tiempo. Cuando los padres se desprenden de los sueños personales que tienen para sus hijos, crean el espacio necesario para averiguar para qué nacieron realmente esos hijos, cuál es el impulso creativo que está esperando a expresarse a través de cada vástago. De la misma manera, cuando nos liberamos de la idea «quiero que mi empresa haga equis», entonces podemos encontrar el propio impulso creativo de la organización, ese potencial o capacidad creativa más profunda que puede expresarse duraderamente ante el mundo, teniendo en cuenta todo aquello de lo que dispone. En otras palabras: ¿qué es lo que esta organización quiere ser en el mundo, y qué es lo que el mundo necesita que sea esta organización?

Esto no quiere decir que todas las organizaciones vayan a tener un propósito visionario, creativo y hermoso. Algunas expresiones del propósito que son de hecho banales, son no obstante auténticas para la organización. El propósito de una empresa de triturado de basuras quizá sea simplemente «crear ciudades más limpias», lo cual tal vez no sea glamuroso, pero con todo insinúa la «razón» que está detrás de lo que hace la empresa y expresa el potencial para el que está capacitada para producir en el mundo. En HolacracyOne, hemos apresado lo que mejor entendemos como propósito de nuestra organización en dos palabras: «Organización Exquisita».

Llegar ahí fue todo un proceso de descubrimiento: no decidimos ese propósito, lo descubrimos. Y digo «descubrimos» y no «decidimos» porque llegar a tener claro el propósito es más una labor detectivesca que un trabajo creativo. Lo que estás buscando ya está ahí, esperando a que lo encuentren, y no tiene más de decisión de lo que tiene el propósito de tu hijo. No tienes más que preguntarte: «Teniendo en cuenta nuestro entorno actual, y los recursos, talentos y capacidades de los que disponemos, los productos o servicios que ofrecemos, la historia de la empresa y su espacio en el mercado, etcétera, ¿cuál es el potencial más profundo que esto puede ayudar a crear o a manifestarse en el mundo? ¿Y por qué lo necesita el mundo?

Si no se te ocurre inmediatamente una sucinta frase que capte el propósito de tu organización, no te preocupes. Como pasa con todo en la holacracia, descubrir el propósito es un proceso dinámico y continuado, y la aplicación práctica de tu propósito es mucho más importante que la elegancia de su formulación. El propósito no es algo que enmarques y pongas en la pared para inspirarte; es una herramienta que utilizas a diario mientras te ocupas de tu negocio. Cuando cambias a un modelo de autoridad distribuida, el propósito se convierte en el sostén de la toma de decisiones a todos los niveles y en cada una de las esferas de actividad. La gobernanza trata de la forma en que estructuramos la organización y sus funciones para expresar de la mejor manera ese propósito, y las operaciones tienen que ver con la utilización de esa estructura para proporcionar ese propósito al mundo. El objetivo de la holacracia es permitir que una organización exprese mejor su propósito. Por esto y por otras muchas razones, la holacracia no es un proceso de gobernanza «de las personas, por las personas y en aras de las personas», sino de gobernanza *de* la organización, *por medio* de las personas y *en aras* del propósito.

LA ESTRUCTURA ORGANIZATIVA

«Todo es vago en la medida que no te das cuenta
hasta que has intentado hacerlo preciso.»
—Bertrand Russell, *Filosofía del atomismo lógico*

Si queremos distribuir la autoridad e incorporar las capacidades evolutivas a la manera en que hacemos negocios, necesitamos una forma de estructurar nuestras organizaciones que propicie ese proceso. La tradicional jerarquía directiva piramidal es una opción estructural, pero a menudo dista de ser la ideal para hacer posible la autoridad distribuida y el diseño evolutivo. La holacracia ofrece una manera alternativa de estructurar una organización. Pero antes de que pasemos a rediseñar el organigrama, dediquemos un momento a hablar del significado de «estructura» en una organización.

Me parece que una sencilla distinción utilizada por el teórico de la organización Elliott Jaques es especialmente útil y clarificadora. Este identificó tres tipos distintos o significados de «estructura» que pueden ser útiles en cualquier organización. En primer lugar, tenemos la «estructura formal», o sea, el organigrama y las descripciones de las funciones. Estoy seguro de que sabes cómo son estas cosas, pero ¿con qué frecuencia las utilizas realmente? ¿Cuántas veces durante un día de trabajo normal vas y echas un vistazo a las descripciones de las funciones para aclararte sobre en qué tienes que centrarte y qué puedes esperar de los demás? Cuando hago esta pregunta, la mayoría de la gente suele echarse a reír. Muchos confiesan que ni siquiera sabrían dónde encontrar las descripciones de las funciones de su organización. La estructura formal en la mayoría de las organizaciones está bastante alejada de los acontecimientos y necesidades cotidianos, así que las descripciones de las funciones son poco más que unas reliquias burocráticas formales. En muchos casos, mientras salen de la impresora ya están desfasadas y son irrelevantes.

Estructura empresarial
CÓMO CREEMOS QUE ES

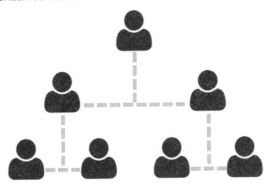

Cuando la estructura formal de la organización procura escasa orientación práctica, nosotros los humanos, como seres creativos que somos, buscamos la manera de superar este obstáculo para hacer el trabajo. Esto da lugar a lo que Jaques denomina la «estructura en uso». Esta es la estructura realmente operativa, esto es, la realidad a menudo implícita de quién está tomando qué decisiones o a quién pertenecen qué proyectos. La estructura en uso de una organización suele estar moldeada por las relaciones personales y la política. Cuando trabajamos juntos de esta manera, se crean las normas culturales, y empezamos a alinearnos con ellas, creando una estructura implícita que se convierte en la «manera (inconsciente) en que se hacen las cosas». Jaques continúa señalando una tercera estructura potencial: la «estructura necesaria», que es aquella que sería la más natural y la que mejor se adecua al trabajo y propósito de la organización, la estructura, en suma, que «quiere ser».

Estructura empresarial
CÓMO FUNCIONA REALMENTE

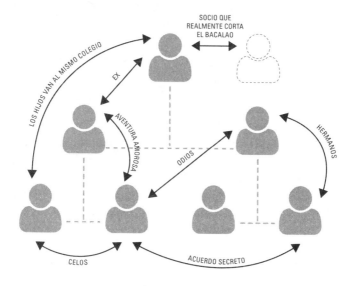

Antes, al hablar de la idea de percibir y procesar las tensiones, definimos tensión como la diferencia entre lo que es y lo que podría ser, una posibilidad percibida que sería, de algún modo, más idónea. Utilizando la terminología de Jaques, podríamos decir que estamos percibiendo una diferencia entre la estructura en uso (lo que es) y la necesaria (la que podría ser). Cuando llevamos esa tensión a la reunión de gobernanza de la holacracia y la convertimos en un cambio significativo, acabamos desarrollando la estructura formal para hacerla más necesaria; perfeccionamos los detalles explícitamente capturados de quién hace qué y las autoridades y expectativas en juego, de manera que reflejen un estado mejor. Por ejemplo, si fueras el responsable de gestionar el calendario de producción, pero sintieras una permanente tensión porque otra persona de la organización se está inmiscuyendo en tus competencias, duplicando las tareas que ya has hecho tú, podrías utilizar el proceso de gobernanza para aclarar esa división del trabajo con más eficacia. De modo que, aunque en la holacracia tenemos una estructura capturada formalmente, esta es perfeccionada y modificada permanentemente en respuesta a las tensiones percibidas por los individuos mientras hacen su trabajo diario, a fin de que refleje lo que entendemos como la mejor manera de organizarnos con la máxima eficacia para sacar el trabajo adelante.

En consecuencia, en una organización regida por la holacracia, las personas consultan las descripciones de sus propias funciones y las de los demás de manera regular, a veces diariamente, porque las descripciones de las funciones contienen una información relevante, precisa, clara y útil sobre lo que es lógico hacer y esperar. Esto significa que la manera en que trabajamos juntos en la realidad (la estructura en uso) refleja más pormenorizadamente lo que está documentado (estructura formal), lo cual refleja de manera más minuciosa lo que es mejor para la organización (la estructura necesaria). Por lo tanto, estas tres estructuras se convierten en una sola cosa; al menos por un tiempo, hasta que se perciba otra tensión y este proceso evolutivo deba continuar.

Sin perder de vista esta distinción fundamental —que en la holacracia la «estructura» no es fija ni compacta, sino algo en permanente evolución—, echemos un vistazo a la clase de estructura utilizada en la holacracia y los diversos elementos que la forman.

La estructura de la naturaleza

La clase de estructura utilizada por la organización en la holacracia no es una jerarquía tradicional, sino una «holarquía». Arthur Koestler acuñó este término en su libro de 1967 *The Ghost in the Machine*, donde definió un «holón» como «un todo que forma parte de un todo mayor» y una «holarquía» como «la conexión entre los holones». Puede que estos términos te resulten extraños y desconocidos, aunque describen algo muy habitual. Tu propio organismo es un ejemplo de holarquía. Cada célula de tu cuerpo es un holón, esto es, *así* un ente entero y autónomo *como* una parte de un todo mayor, un órgano. De la misma manera, cada órgano en sí es un todo autónomo, pero también una parte de un todo más grande, tu organismo. Esta serie de holones alojados —célula en órgano y este en organismo— es un ejemplo de holarquía.

Vemos esta clase de estructura por todas partes en la forma que tiene de organizarse la propia naturaleza. Piensa en cómo se relacionan las partículas para crear átomos, los cuales se unen formando moléculas, que a su vez se agrupan creando cristales o proteínas, por ejemplo, siendo cada una tanto una parte como un todo. Estas holarquías respetan la autonomía y al mismo tiempo facilitan la organización autónoma dentro de cada nivel. Pues bien, esta es la clase de estructura que utiliza la holacracia, que a su vez es la raíz del propio término: holacracia significa gobierno *(-cracia)* de y por la holarquía *(hola-)* organizativa.

Si estudiamos una empresa a través de este prisma de holones y holarquías, podríamos asumir que los seres humanos serían los holones más pequeños del sistema organizativo, acogidos por unos holones mayores de equipos, departamentos, etcétera. Pero los seres humanos no son «partes de una empresa» contenidas completamente, a la manera en que las células son parte de un órgano. Antes bien, somos entes autónomos independientes que deciden aparecer y «activar» las tareas de una organización distribuidas en diferentes «funciones». Estas funciones, que *son* partes de la empresa, constituyen los pilares más básicos de la estructura de la holacracia. Cuando distribuimos la autoridad, como se expuso en el capítulo anterior, lo hacemos no entre los humanos individualmente considerados, sino entre las funciones que cumplen. Las funciones particulares están adornadas con la autoridad para llevar a cabo ciertas tareas y perseguir objetivos concretos. Pero cuando las responsabilidades inherentes a una función se vuelven excesivas para que las asuma un solo individuo, es posible que sea necesario que tales funciones se desglosen en múltiples funciones secundarias, convirtiéndose en un «círculo».

Como quiera que la holacracia trata exclusivamente de la organización del trabajo y no de las personas, esto deja un poco de libertad a la gente para que se organice a sí misma en función de las funciones que cumple. En lugar de organizarse como nódulos independientes dentro de la jerarquía empresarial, se permite que las personas actúen más como agentes libres capaces de darse una vuelta por ahí y aceptar asignaciones de funciones en cualquier parte de la estructura organizativa, incluido el cumplimiento simultáneo de varias funciones en muchas partes diferentes de la organización. En Zappos, por ejemplo, esa libertad facultó a Matt, en un principio integrante de un equipo de medios sociales, para, en palabras de uno de sus colegas, «convertirse también, de una manera que no habría sido capaz anteriormente, en parte importante de muchas iniciativas transversales, como las comunicaciones internas, los sistemas de progresión y desarrollo, y el asesoramiento de la holacracia».

Funciones y obligaciones

Piensa en tu experiencia en una organización convencional: ¿a quién tienes que rendirle cuentas? La respuesta tradicional es «a mi jefe» o «a mi director», pero como es natural hay muchos otros que cuentan contigo: compañeros, clientes, puede que inversores u otras partes interesadas. Una pregunta mucho más útil es: «*¿Para* qué cuentan contigo esas personas?» Cada una de las partes tienen distintas actividades específicas que esperan que aceptes y gestiones con eficacia, y la claridad sobre esas obligaciones es esencial para el buen desarrollo de una organización. Las más de las veces esto es algo que permanece implícito. Si las cosas funcionan correctamente y nuestras expectativas están en consonancia, entonces no hay ningún problema. Pero con demasiada frecuencia, las diferentes personas tienen ideas distintas sobre lo que cada una de ellas tendría que aceptar y hacer, y esta falta de claridad conduce a todo tipo de fricciones interpersonales y políticas.

Por ejemplo, puede que quiera enviar un correo electrónico con un enlace a nuestra información de formación más reciente, y cuento con que uno de mis compañeros de trabajo haya actualizado la página web. Pero si ese colega tiene una idea distinta de lo que se espera de él y sólo actualiza la página web una vez al mes, quizá me encuentre con que la información que tengo que enviar todavía no está en la Red. A este respecto la cadena de gestión tradicional es irrelevante; si ambos tenemos ideas distintas de cuáles son nuestras obligaciones, nuestras expectativas entrarán en conflicto.

SEÑALES DE PELIGRO

¿Muestra tu organización algunos de estos síntomas? Si es así, puede que estés teniendo un problema de falta de claridad sobre las funciones y obligaciones.

- desconfianza y frustración entre compañeros
- tareas esenciales que se están «pasando por alto»
- exceso de reuniones con demasiadas discusiones para alcanzar el consenso sobre las cosas
- correos electrónicos con copia para muchas personas dan vueltas de aquí para allá, a menudo por motivos poco claros
- la gente contacta con todo el mundo antes de tomar decisiones, y espera que los demás también lo hagan
- la gente tiene montones de ideas acerca de lo que «deberíamos» hacer... pero que «no hacemos»

Cuando nuestras mutuas expectativas son diferentes, las tareas importantes se abandonan y todo el mundo acaba frustrado. En este estado de cosas, nos sentimos mutuamente defraudados e injustamente acusados, desconfiamos unos de otros o sobrepasamos nuestras funciones para compensar, inmiscuyéndonos en los asuntos ajenos. Así las cosas, no hay ejercicios que lleguen para fomentar la confianza o el trabajo en equipo, porque a menudo estos problemas son mucho menos personales de lo que puedan parecer, ya que no se derivan de una traición personal, la desconfianza o la insensibilidad, sino de un desajuste en nuestra comprensión de lo que podemos esperar unos de otros. En pocas palabras, son síntoma de una falta de claridad. Y para aclararnos, primero debemos desprendernos de la idea de que los demás deberían estar en consonancia con nuestras expectativas implícitas (o con las de cualquier otro). Esto exige implantar un proceso de gobernanza eficaz que a su vez esté explícitamente documentado, no ejercido de manera implícita. El proceso de gobernanza de la holacracia concreta las funciones con las obligaciones explícitas, las cuales otorgan la autoridad explícita, y a partir de ahí desarrolla esas definiciones para incorporar el aprendizaje y alinearse con la realidad siempre cambiante de la organización. Todo esto despoja de poder a las normas vagas y tácitas y en su lugar se lo confiere a un proceso claro y documentado y a las expectativas y autoridades resultantes.

Al principio esto puede resultar un poco incómodo. Shereef Bishay, fundador de la empresa educativa Dev Bootcamp, lo expresó de manera sucinta: «El carácter explícito creado por la holacracia es primitivo». Bishay aludía a nuestra facilidad para acostumbrarnos, en la sociedad «civilizada», a ser vagos e indirectos. Cuando las cosas se aclaran y concretan de verdad, en un principio puede parecer incómodo, pero a medida que aumenta la claridad, la consecuencia natural suele ser la confianza. Con el tiempo, la cultura organizativa se va liberando cada vez más de las personas que utilizan la política como medio de influir, simplemente porque generar claridad por medio de la gobernanza es más efectivo. Una estructura explícita de autoridades y expectativas también ayuda a diferenciar a la gente que trabaja en la organización de las labores o funciones que realizan. Disociar estos elementos con frecuencia fusionados es un resultado clave de una práctica efectiva de la holacracia.

Diferenciación de la función y el espíritu

Cuando una reunión con mis socios de HolacracyOne da como resultado que añada elementos a mi lista de tareas, ninguno consideramos que estas le hayan sido asignadas a «Brian». Por el contrario, quizá hablemos de una tarea asignada a «Preparador», a «Diseño de Programas» o «Contabilidad», todas las cuales son funciones que desempeño yo. De igual manera, puede que me sorprenda refiriéndome a mis socios no por sus nombres, sino como «Mercadotecnia», o «Gestor de la página web», o incluso como «Operaciones de formación». Esto no es algo que hayamos decidido específicamente hacer de esta manera; empezó a ocurrir de forma natural. Tal vez pueda antojarse una extraña manera de hablarles a las personas con las que trabajo a diario, pero en realidad es bastante aclaratoria, e indica un cambio fundamental que posibilita la holacracia: la diferenciación de las personas y las funciones, o «la función y el espíritu», como me gusta expresarlo.

En nuestra moderna cultura organizativa, los individuos y las funciones que cumplen están en buena medida fusionados, y esa fusión limita tanto a las personas como a la organización en múltiples aspectos. Por ejemplo, suele ser difícil separar las emociones sobre las personas de las emociones sobre las funciones que desempeñan. En ocasiones, los conflictos que tenemos en la vida organizativa son en realidad discrepancias entre las funciones involucradas, pero los confundimos con desacuerdos entre las personas que las desempeñan. Tales conflictos se convierten en algo innecesariamente personal, y cuando intentamos resolverlos suavizando las relaciones humanas, perdemos la oportunidad de aclarar las «*rol*aciones» organizativas subyacentes, término este que utilizo para referirme a las relaciones entre nuestros roles o funciones y lo que tales roles necesitan y quieren unos de otros, independientemente de nuestros vínculos personales.

Por ejemplo, si eres el encargado de la función Desarrollo Comercial en una organización, puede que estés obligado a cultivar las relaciones con posibles clientes fundamentales y entiendas que es importante hacerlo en entornos sociales. Sin embargo, es posible que entres en conflicto con la persona que desempeña la función Contabilidad, que exige unos informes de gastos desglosados, cuestionando la necesidad de tantos almuerzos de negocios. Así las cosas, es posible que te sientas ofendido por sus constantes provocaciones; te parece que esa persona no confía en ti o que no le gustas. De hecho, el conflicto no es personal; uno y otro no estáis más que «impulsando» vuestras funciones y «cumpliendo» con vuestras obligaciones, como a menudo lo expresamos en la holacracia. La tensión surge a partir de un conflicto de prioridades o expectativas entre esas dos funciones, y aquí se presenta la oportunidad de aclarar lo que es lógico esperar de cada función en aras del propósito general.

La holacracia se centra en diferenciar claramente los individuos de las funciones que cumplen. La estructura de la organización está definida por los roles que esta necesita para perseguir su propósito, sin referencia a los individuos particulares dentro de ella. Las personas entran después, para cumplir o impulsar esas funciones. Con los roles definidos en función de lo que es necesario para el propósito de la organización, entonces podemos estudiar el talento disponible y asignar el que mejor se adecue a cada función. La mayoría desempeñamos múltiples funciones con absoluta naturalidad. En nuestras vidas personales siempre estamos desempeñando múltiples papeles; un individuo puede ser padre, cónyuge, hijo, profesor y estudiante. Cada uno de estos papeles van acompañados de diferentes expectativas y responsabilidades. De la misma manera, un ser humano puede desempeñar múltiples funciones en una organización. En HolacracyOne, desempeño alrededor de treinta funciones, entre ellas las que he mencionado antes: Instructor, Diseño de Programas y Contabilidad.

A fin de facilitar las definiciones claras y concretas de las funciones, la constitución de la holacracia define función diciendo que consta de tres elementos: un «propósito» que expresar; posiblemente uno o más «campos» que controlar; y una serie de «obligaciones» que desempeñar. Algunos papeles tendrán estas tres partes, aunque a menudo las funciones empezarán sólo con un propósito o una obligación única y se desarrollarán a partir de ahí. Un propósito nos indica la razón de que exista la función: aquello que se pretende conseguir. Un campo (de los que puede haber varios) especifica algo que la función tiene la autoridad exclusiva de controlar en nombre de la organización; en otras palabras, es «propiedad» de esta función, en la que ninguna otra función puede entrometerse. Y cada una de las obligaciones es una actividad permanente que la función está autorizada a realizar y que se espera que realice o gestione de cualquier otra manera para la organización. Este acoplamiento de la autoridad con la obligación ayuda a evitar la situación que vemos con frecuencia, en la cual las personas son responsables de algo para cuya ejecución no tienen realmente autoridad. En inglés, las obligaciones se expresan con un verbo en gerundio para indicar que no son simples proyectos, sino actividades continuas. Al final del siguiente capítulo, analizaremos el punto de encuentro de estos tres elementos más a fondo.

EJEMPLO DE DEFINICIÓN DE FUNCIÓN

Todas las funciones tienen un propósito y diferentes campos y obligaciones.

Función: Mercadotecnia

Propósito: Crear una gran expectativa sobre nuestra empresa y sus servicios

Campos:

- Lista de direcciones de la empresa y cuentas de redes sociales
- Contenido público de la página web de la empresa

Obligaciones:

- Entablar relaciones con posibles clientes en mercados meta definidos por la función Estrategia de Mercadotecnia
- Promocionar y destacar los servicios de la organización entre los posibles clientes a través de la Red y los canales de las redes sociales
- Seleccionar las invitaciones para intervenciones públicas y otras oportunidades relacionadas con las relaciones públicas enviadas a la organización, y redirigir las buenas oportunidades a la función Portavoz

En la holacracia las funciones son algo vivo y dinámico que cambia con el tiempo. Al contrario que las descripciones de las tareas tradicionales, que suelen ser vagas y teóricas y que enseguida se quedan obsoletas, las definiciones de las funciones en la holacracia se basan en la realidad de las actividades que se experimentan como útiles dentro de la organización y se mantienen en sincronía con la realidad cambiante. El proceso de gobernanza de la holacracia permite una aclaración y perfeccionamiento continuos de las funciones en virtud de las tensiones reales que surgen, en vez de en las predicciones abstractas. Supongamos que experimentas una tensión en una de tus funciones porque estabas esperando que una colega realizara alguna tarea, y esta no cumple. Las normas y procesos de la holacracia te obligarán a enfrentarte a la pregunta: «¿Es esta una obligación explícita de su función, o es una expectativa implícita que tienes tú?» Tal vez te parezca una expectativa absolutamente natural y razonable, pero en la holacracia, si no es una obligación explícita de una de sus funciones, no tienes ningún derecho a esperarla de esa persona. Sin embargo, si te parece que es algo para lo que *deberías* poder contar con esa persona, a la siguiente reunión de gobernanza puedes llevar la propuesta de que esa tarea en cuestión sea convertida en una obligación explícita de la función de tu compañera. (Hablaré de este proceso con más detalle en el siguiente capítulo, que aborda la cuestión de la gobernanza.)

Si tenemos verdaderamente claro todo lo relacionado con los roles y las *rol*aciones en juego, podemos encontrar alivio para muchas frustraciones habituales de la vida organizativa. Ya no necesitamos reuniones en las que debatamos todas las decisiones, porque sabemos qué autoridad tenemos y qué otras funciones puede que tengamos que involucrar y por qué. Esto significa que tampoco necesitamos ya enviar copia de los correos electrónicos a todo el mundo ni consultar con todos antes de tomar una decisión. Y cuando participamos de una discusión grupal, podemos hacerlo sin crear una expectativa de consenso, porque todo el mundo tiene más claro que el agua qué funciones tienen la autoridad para tomar según qué decisiones. También sabemos lo que podemos esperar razonablemente de los demás, y qué pueden esperar los demás de nosotros, cuando hacemos nuestro trabajo y ejercemos la autoridad juntos. La claridad organizativa genera una auténtica distribución del poder, dándonos libertad a cada uno para ser un buen jefe cuando estamos desempeñando una función y tenemos que armonizar convenientemente las aportaciones, y un buen adepto cuando una decisión corresponde a otra función y esta da por concluida una discusión para tomarla a conciencia.

Círculos

Las funciones, de la manera que acabo de describirlas, son como las células de una organización. Ahora echemos un vistazo a la estructura organizativa general por la que se agrupan e incorporan las funciones. Un organigrama típico tiene el aspecto de un árbol vuelto del revés, donde cada nódulo representa a una persona (o un «puesto», pero cuando los puestos se emparejan individualmente con las personas, se convierte en básicamente lo mismo). Una holarquía, sin embargo, se parece a una serie de círculos alojados unos dentro de otros, igual que las células dentro de los órganos de un organismo. En una holarquía, cada parte u holón no está dominado por los que tiene encima, sino que conserva la autonomía, la autoridad individual y la integridad. Así pues, tenemos una holarquía de funciones agrupadas dentro de unos círculos, los cuales están ellos mismos agrupados dentro de unos círculos más grandes, y así hasta llegar al círculo más grande que contiene a toda la organización. En la constitución, este círculo recibe el nombre de «Círculo de apoyo». Cada círculo y función dentro de la holarquía conserva una autonomía y autoridad reales como un ente entero y cohesionado en sí mismo, pero también con responsabilidades reales como parte de un ente más grande.

A pesar de la autonomía fundamental de cada círculo, sus decisiones y acciones no son completamente independientes de los demás. Recuerda, cada círculo es un holón, esto es, una entidad organizada autónomamente por derecho propio y al mismo tiempo parte integrante de un círculo mayor. En condición de esta última, comparte el entorno con las demás funciones y círculos secundarios de ese círculo más amplio. Así que un círculo que se comporta como si fuera completamente autónomo dañará el sistema, igual que una célula del organismo que hace caso omiso de un sistema mayor se convierte en cancerígena. En el proceso de organización autónoma hay que tener en cuenta las necesidades de los demás círculos. En la holacracia, tal cosa se consigue definiendo las obligaciones y limitaciones a las que también debe ajustarse cada círculo; y esos otros círculos tienen algo que decir al respecto, como veremos en el siguiente capítulo.

Estructura básica de los círculos

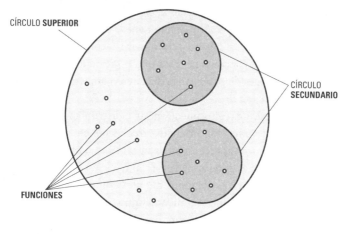

Esta estructura plasma el cambio esencial necesario para la distribución de la autoridad de la holacracia: el paso de una jerarquía de personas que dirigen personas a una holarquía de funciones organiza-

tivas asignadas a funciones y círculos. Y esta es una diferencia fundamental: un cambio no sólo en el *tipo* de estructura, de la jerarquía a la
holarquía, sino, para empezar, en *lo* que estamos estructurando. La
holacracia pasa de estructurar a las personas a estructurar las funciones y tareas de la organización. Y, más concretamente, en vez de estructurar una sencilla relación de poder entre las personas —quién
puede dar órdenes y a quién—, la holacracia estructura el lugar donde
está el trabajo dentro del sistema general, y esto determina los límites
entre las diversas entidades que hacen ese trabajo. Debido a esto, creo
que puede inducir a error afirmar que «la holacracia es plana» o que
«la holacracia es jerárquica»; la holacracia utiliza un tipo de jerarquía
diferente a la que estábamos acostumbrados, y por un propósito distinto.

Hacer este cambio implica algo más que cambiarle el nombre a tus
departamentos existentes o llamar a tus proyectos círculos de equipos.
Un círculo no es un grupo de personas, sino un grupo de funciones, y,
en cierto sentido, es también él mismo una función verdaderamente
grande, con un único propósito cohesivo que expresar, algunas obligaciones que cumplir y posiblemente varios campos que controlar. Las
funciones que contiene un círculo son un desglose de lo que es necesario para expresar su propósito general, cumplir con sus responsabilidades y controlar sus campos. Un círculo tiene la autonomía y la autoridad para organizarse a sí mismo y coordinar e incorporar el trabajo de
todas las funciones que contiene. Esta organización autónoma se produce en las reuniones de gobernanza del círculo, un tema al que volve-
ré en el siguiente capítulo.

El trabajo de los círculos puede variar indiscriminadamente tanto
en clase como en graduación. Algunos círculos ponen en marcha proyectos concretos; otros gestionan un departamento o un área de actividad, o realizan funciones de apoyo especial o se encargan de operaciones comerciales generales. Algunos círculos son pequeños y con un
ámbito de aplicación reducido, mientras que otros más grandes pueden abarcar íntegramente varios círculos. Por ejemplo, puede que una
organización ofrezca un servicio especial; las múltiples funciones im-
plicadas en la prestación de ese servicio pueden estar agrupadas en un
círculo que gobierna el proceso de prestación general. Dicho círculo
podría estar agrupado a su vez con otros en un círculo mayor que in-

corpore otras funciones paralelas a la prestación del servicio, tales como ventas, mercadotecnia y apoyo.

A veces, cuando las obligaciones de una función se hacen tan complejas que requieren una mayor diferenciación para cumplirse con eficacia, se forma un círculo. Un nuevo y pequeño círculo podría empezar con una única función general de Mercadotecnia, desempeñada por una persona; a medida que la empresa crezca, puede que sus necesidades en este campo se diferencien, de manera que entonces exijan múltiples funciones interconectadas, desempeñadas por múltiples personas. En consecuencia, la función Mercadotecnia se amplía hasta convertirse en un círculo de Mercadotecnia a fin de desglosar más ese trabajo. Las funciones que contiene podrían incluir ya Redes Sociales, Publicidad, Mercadotecnia en la Red y Desarrollo de la Marca. Al final, la función Redes Sociales podría acabar siendo demasiado para que la desempeñe una persona; en ese caso, sus obligaciones se pueden dividir en dos o tres funciones, así que Redes Sociales pasa a convertirse en su propio círculo, un «círculo secundario» dentro del «círculo superior» de Mercadotecnia. Sea cual sea el tamaño y ámbito de competencia de un círculo, son de aplicación las mismas normas básicas.

Enlaces Principales y Enlaces Representativos

Siempre que un círculo contenga otros secundarios, el círculo superior y cada uno de los secundarios están vinculados a través de dos funciones especiales, las cuales se extienden a ambos lados del límite que separa los círculos conectados, como si fueran canales que cruzaran la membrana de una célula. Estas funciones, llamadas enlaces, toman parte en los procesos de gobernanza y operativos de ambos círculos conectados y permiten la respuesta y la tensión que procesa el flujo a través de los límites de los círculos. El «Enlace Principal» es designado por el círculo superior para que represente sus necesidades dentro del círculo secundario. Un enlace principal contiene la perspectiva y las tareas necesarias para alinear al círculo secundario con el propósito, las estrategias y las necesidades de su contexto general. El otro enlace, denominado «Enlace Representativo», es elegido por los miembros del círculo secundario, y representa a este dentro del círculo superior. La función del enlace representativo es totalmente distinta a cualquier cosa a la que estemos acostumbrados dentro de una organización moderna. Un enlace representativo ayuda a hacer del círculo superior un entorno saludable para el secundario, transportando las perspectivas clave de este a las operaciones y gobernanza de aquel. El enlace representativo lleva la respuesta de primera línea al contexto general, mientras custodia la autonomía y sostenibilidad del círculo secundario dentro de ese entorno. Para cumplir sus funciones, es posible que ambos enlaces tomen parte de la gobernanza y operaciones de ambos círculos conectados.

Tomemos el ejemplo de las Redes Sociales de la sección anterior: dentro del círculo de Redes Sociales hay un enlace principal, cuya función podría incluir trasladar su conocimiento de la estrategia del círculo más general de Mercadotecnia y enviar un mensaje a las actividades del círculo de Redes Sociales, para garantizar que permanezcan en consonancia. El círculo de Redes Sociales también ha elegido un enlace representativo, que debería estar atento a los problemas que afloren en el equipo de Redes Sociales que debería conformar cómo se hacen (o no) las demás partes de la mercadotecnia, de manera que tales problemas se puedan plantear en el círculo general de Mercadotecnia, donde serán abordados. El enlace representativo también podría tener que asegurar que la estrategia general de los mensajes de Mercadotecnia sea compatible con la naturaleza de las Redes Sociales, en contraposición a los medios de comunicación más tradicionales. Ambos vínculos también deberían aparecer en las reuniones de gobernanza del círculo de Mercadotecnia, donde uno y otro representarían al círculo de Redes Sociales como un todo, cada uno con una perspectiva ligeramente distinta.

Esta vinculación de los círculos y sus círculos secundarios contenidos se extiende por toda la holarquía organizativa de nivel en nivel, generando vías de alineación y sugerencias de doble sentido.

El papel del enlace principal cumple una función clave en todos los círculos, pero no hay que confundirlo con el papel de un directivo tradicional. El enlace principal no está dirigiendo a los miembros del círculo (que, de todos modos, pueden desempeñar funciones en muchos círculos y con muchos enlaces principales diferentes).

Círculos de enlace

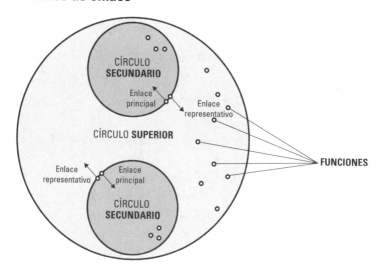

No es labor del enlace principal dirigir al equipo o encargarse de todas las tensiones que sienten los que están en el círculo. Como enlace principal, no estás dirigiendo a las personas; estás representando al círculo en su totalidad y a su propósito dentro del entorno general de la organización. La mejor metáfora que he encontrado para la función del enlace principal es que si el círculo es una célula, aquel es la membrana celular. Como enlace principal, más que dirigir la acción, mantienes el espacio dentro del cual se puede cumplir el propósito del círculo y rechazas los problemas y preocupaciones que caen fuera de su competencia. Cuando es necesario, también actúas como una interfaz en los límites del círculo, redirigiendo la información o solicitudes entrantes hacia las funciones adecuadas e introduciendo recursos en el círculo y dirigiéndolos hacia las tareas, funciones o proyectos más importantes dentro de aquel. Asimismo, estás alerta para detectar cualquier falta de claridad en el círculo sobre qué función se encarga de qué trabajo y toma qué decisiones, y te esfuerzas en lograr esa claridad por medio del proceso de gobernanza. En un círculo nuevo, el papel del enlace principal es un papel emprendedor: estás creando activamente una estructura para lograr un propósito, y tienes que probar diferentes enfoques, ver qué es lo que funciona y hacer ajustes, todo en nombre del propio círculo y su propósito.

DESCRIPCIÓN DE LA FUNCIÓN DEL ENLACE PRINCIPAL

Propósito
El vínculo principal mantiene el propósito del círculo en general

Campos
- Asignación de funciones dentro del círculo

Obligaciones
- Estructuración de la gobernanza del círculo para expresar su propósito y representar sus obligaciones
- Asignación de los compañeros a las funciones del círculo; control de la adecuación; ofrecer respuestas para mejorar la adecuación; y reasignación de las funciones a otros compañeros cuando sea útil para mejorar el ajuste
- Distribución de los recursos del círculo entre sus diversos proyectos y/o funciones
- Establecimiento de las prioridades y estrategias del círculo
- Definición de los parámetros del círculo

El enlace principal también hereda los campos y obligaciones del círculo, pero sólo cuando no han sido delegados a otra función o proceso.

El enlace principal tiene algunas obligaciones que les resultarán familiares a los directivos curtidos, tales como asignar las personas a las funciones y establecer las prioridades. Sin embargo, cuando estos directivos se metan en las funciones del enlace principal, la dificultad con la que se encontrarán será comprender las diferencias y los límites de su autoridad. En última instancia, todas las funciones creadas en una empresa guiada por la holacracia tienen una autoridad real que nadie más puede superar, y el enlace principal no es más que otra función, con sus propias autoridades y límites. Anna McGrath, una instructora de la holacracia, me contó una historia sobre una reunión en la que había colaborado en Pantheon Enterprises, una fábrica de productos químicos ecológicos a la que ayudaba a implantar la holacracia. El enlace principal de un círculo en particular era el jefe y fundador de la empresa, un ex ingeniero nuclear con mucha experiencia. En ese círculo también estaba su hijastro, Steven, de veintidós años, y que se ocupaba de la función de Ayudante de Producción. En un momento dado, Steven tomó una decisión en el desempeño de su función con la que el enlace principal mostró su desacuerdo, sugiriendo un enfoque distinto. Anna me comentó que el joven «no fue ni grosero ni desagradable, sino que se limitó a afirmar que tenía autonomía sobre aquella decisión y que no estaba dispuesto a perder más tiempo. A mi modo de ver, ese fue un ejemplo de que cualquiera que trabaje en una organización dirigida por la holacracia, desde la persona más novata a la más experimentada, puede ostentar su poder y autoridad en consonancia con unas obligaciones claras, y hacer que los demás respeten su potestad».

La historia ilustra una forma en la que el poder del enlace principal queda limitado por la constitución. Puede que un enlace principal retire a alguien de una función, pero no tiene autoridad para despedir a nadie, decidir la indemnización y definir nuevas funciones y expectativas para las personas fuera del proceso de gobernanza. Y aunque un enlace principal pueda esperar que el depositario de una función dentro de su círculo dé prioridad a un proyecto frente a otro a petición suya, de entrada no puede exigir que la persona acepte un proyecto determinado. Aun así, ese encargado de la función puede valorar si el proyecto solicitado por un enlace principal encaja con el propósito u obligaciones de su tarea; si no es así, puede negarse sin más, y aunque encaje, todavía puede rechazarlo en beneficio de un resultado alternativo que le parezca una manera más adecuada de expresar su función.

En torno a esto se suscitó recientemente una controversia en una de las organizaciones con las que trabajamos. Los integrantes de un círculo centrado en la formación interna decidieron que necesitaban una función que capturase y compartiera los mejores métodos para la utilización de una nueva herramienta, así que crearon una con la obligación de «documentar y compartir los mejores métodos de las filiales y los demás». Sobre esta base, el enlace principal del círculo pidió al responsable de la función que creara una página web de colaboración en la que los empleados pudieran compartir los mejores métodos. Esto era algo que él (o cualquiera del círculo) tenía derecho a pedir, pero la controversia que se planteó era si el responsable de la función tenía que aceptar el proyecto y crear la página web solicitada.

La respuesta, en virtud de las normas de la holacracia, es un no rotundo. Aunque el responsable de una función tenga el deber de hacer algo para expresar su obligación, no tiene que aceptar un proyecto específico como manera de hacerlo. Puede que en este caso el encargado de la función hubiera estado analizando los pros y los contras de una Intranet frente a un ciberdiario dirigido al público, y hubiera llegado a la conclusión de que a su función le haría un mejor servicio presentando un diario en línea, a fin de admitir los comentarios y respaldos externos al equipo. Como encargado de la función, tiene la autonomía para dirigir su función y escoger la manera de expresar sus obligaciones. El enlace principal no puede invalidar esto; su poder alcanza únicamente a la asignación de las personas adecuadas a las funciones, y luego a priorizar el trabajo en todo el círculo. Si en el círculo hay una función sin desempeñar, entonces el enlace principal actúa como comodín, asumiendo la responsabilidad de cualquier cosa que de lo contrario podría caer en el olvido, pero sólo hasta que pueda crear una función adecuada en la gobernanza y luego asignársela a alguien para que la desempeñe.

La función del enlace representativo también cumple una labor clave en todos los círculos. No se trata de un enlace «secundario», sino de una función completamente distinta del enlace principal. Si este es principalmente una membrana que recubre la célula, el enlace representativo es un canal directo desde el interior del núcleo de la célula hasta esa membrana. Este enlace proporciona una respuesta rápida desde la perspectiva de alguien que conoce de verdad lo que está pasando a «nivel de la calle», y es su obligación —no del enlace principal— canalizar las tensiones hacia el círculo general si se considera que están limitando al círculo secundario y no se pueden resolver localmente. Por ejemplo, si el círculo de Redes Sociales está teniendo problemas para promocionar eficazmente los productos de la empresa porque las directrices de los mensajes del círculo de Mercadotecnia son demasiado difíciles de vender para los entornos más coloquiales de Twitter y Facebook, el enlace representativo puede llevar esta tensión a la siguiente reunión de gobernanza del círculo de Mercadotecnia. Ahí, puede proponer una solución, como pudiera ser la de añadir a la función Gestor de Marca la obligación de consultar con un miembro del círculo de Redes Sociales a la hora de crear las directrices de los mensajes.

Los enlaces representativos ayudan a los enlaces principales a librarse de tener que ocuparse de las tensiones que los miembros de sus respectivos círculos tengan sobre la empresa en general y sus otros círculos, dejándoles más tiempo y energía para centrarse en hacer avanzar al círculo por otras vías.

DESCRIPCIÓN DE LA FUNCIÓN PARA EL ENLACE REPRESENTATIVO

Propósito

Dentro del círculo superior, el enlace representativo contiene el propósito del círculo secundario; dentro de este, el propósito del enlace representativo es: canalizar y resolver las tensiones relativas al proceso en el círculo superior.

Obligaciones

- Eliminación de los obstáculos dentro de la organización general que limitan al círculo secundario
- Tratar de comprender las tensiones expresadas por los miembros del círculo secundario, y reconocer las que son adecuadas para procesar en el círculo superior
- Facilitar al círculo superior la visibilidad de la salud del círculo secundario, incluida la presentación de informes sobre cualquier medida o elemento sujeto a comprobación asignado a todo el círculo secundario

---

Enlaces cruzados

Además de los enlaces principales y representativos, dentro de la estructura de la holacracia se utiliza un tercer tipo: el mucho más raro «Enlace cruzado». Mientras que aquellos conectan los círculos cuando uno contiene al otro, los vínculos cruzados conectan círculos paralelos o a aquellos alejados entre sí de alguna manera en la holarquía de la organización. Añadir un enlace cruzado entre dos círculos proporciona un canal directo para procesar las tensiones dentro de un círculo que sean percibidas en otro, incluso en uno que esté bastante alejado dentro de la holarquía organizativa, sin tener que pasar por los canales habituales del enlace principal o el enlace representativo. En la mayoría de los casos, los enlaces cruzados no son necesarios porque aquellos dos círculos están contenidos en uno mayor a cierto nivel, así que cualquier controversia sobre cómo se relacionan entre sí los dos círculos secundarios se puede resolver dentro de aquel que los contiene. Por ejemplo, en HolacracyOne, nuestros círculos de Prestación de servicios y de Divulgación están ambos contenidos en nuestro Círculo General de la Compañía. A veces, tenemos que resolver alguna cuestión en torno a la manera que tienen esos dos círculos de relacionarse entre sí y a lo que esperan el uno del otro, pero no hay necesidad de un vínculo cruzado porque podemos procesar esos problemas en las reuniones de gobernanza de nuestro Círculo General de la Compañía.

Ahora bien, si los dos círculos secundarios tuvieran tanto trabajo de integración pendiente que este se convirtiera en una distracción para el círculo más grande, es más lógico nombrar un enlace cruzado de uno de esos círculos dentro del otro, de manera que puedan resolver sus problemas directamente sin llevarlos al que los contiene. Los enlaces cruzados también pueden ser útiles cuando existe una relación entres dos partes radicalmente distintas de la organización. Por ejemplo, una empresa en la que trabajé creó un enlace cruzado entre el departamento de ventas y un equipo específico de prestación de servicio a los clientes, entre los que se interponían muchos círculos dentro de la estructura organizativa general de la empresa. A pesar de su distancia estructural, había una necesidad natural de procesar las tensiones entre ellas, dada la perspectiva exclusiva de la función de ventas en la relación global con los clientes y la importancia que la experiencia de estos en cuanto a la prestación de servicios tiene para la siguiente gran venta. El enlace cruzado permite acelerar y facilitar el procesamiento de las tensiones. Repito que los vínculos cruzados rara vez son necesarios y es fácil utilizarlos mal, especialmente en organizaciones que se inician en la holacracia, aunque a medida que se avanza en su práctica, en casos concretos pueden resultar útiles. Asimismo, desempeñan un importante papel en los consejos regidos por la holacracia, aspecto este del que hablaremos más detenidamente en el capítulo 8.

Funciones electas frente a Funciones asignadas

Para los fines de dirigir las reuniones, como veremos en los siguientes capítulos, es necesario que en todos los círculos se desempeñen dos funciones concretas: la del «Orientador» y la del «Secretario». Tales funciones, además de la del enlace representativo, se cubren por medio de una elección llevada a cabo en una reunión de gobernanza del círculo, utilizando a esos efectos el «Proceso de Elección Integradora» definido detalladamente en la constitución. En el momento de la elección, se establece un período de vigencia para las funciones electas (con frecuencia de un año), pero cualquier miembro del círculo puede requerir una nueva elección en cualquier momento.

Aparte de estas tres funciones electas, todas las demás de un círculo son cubiertas por el vínculo principal, que asigna la función a cualquier persona que esté disponible para hacer el trabajo por la organización. La constitución de la holacracia se refiere a estas personas como «asociado», ya sean técnicamente empleados, ya contratistas, socios comerciales o tengan alguna otra relación legal. Un asociado asignado a una función tiene libertad para renunciar a dicha asignación en cualquier momento, a menos que haya convenido lo contrario, por ejemplo, como condición de un contrato laboral con la organización. Incluso las funciones del enlace principal se cubren de esta manera. Siguiendo con nuestro ejemplo de antes, el enlace principal del círculo de Mercadotecnia asignará a alguien el desempeño de la función de enlace principal del círculo de Redes Sociales, quien a su vez asignará las personas para desempeñar las diferentes funciones creadas por este círculo, excepción hecha del enlace representativo, el orientador y el secretario del círculo, que son siempre electos.

Lo que hacen los círculos

Todas las actividades de un círculo son guiadas por las tensiones percibidas por los que desempeñan sus funciones y hacen su trabajo, a saber, los «miembros del círculo». Estos incluyen a cualquiera que desempeñe una función específica dentro del círculo, además de al vínculo principal nombrado desde el círculo superior y los vínculos representativos conectados al círculo desde sus círculos secundarios.

De qué manera procesen los miembros del círculo las tensiones es algo que depende de cada tensión en particular. Algunas se resuelven mejor actuando (operaciones), mientras que otras requieren cambiar el patrón o la estructura mediante el cual el círculo funciona (gobernanza). Para facilitar el procesamiento de las tensiones de diferentes maneras, dentro de cada círculo se mantienen al menos dos tipos diferentes de reuniones, y cada tipo tiene su propio proceso y reglas del juego. En los capítulos siguientes revelaremos los detalles de tales procesos; a continuación se hace un breve resumen a modo de introducción.

En las «reuniones de gobernanza», los miembros del círculo perfeccionan la estructura del círculo basándose en las nuevas experiencias e información surgidas en el trabajo cotidiano. Esto da lugar a una comprensión clara de las funciones, sus actividades y sus relaciones, además de las políticas del círculo. Las reuniones de gobernanza en los círculos asentados suelen celebrarse cada uno o dos meses, pero mi consejo para los círculos nuevos y para aquellos con muchos miembros que llegan de nuevas a la holacracia, es que se celebren dos por mes.

En las «reuniones tácticas», los miembros del círculo utilizan un debate acelerado para ocuparse de las operaciones en marcha, sincronizar a los miembros de los equipos y dar prioridad a cualquier dificultad que esté impidiendo los avances. Esto da lugar a una comprensión clara de los proyectos y las acciones siguientes que hay que llevar a cabo. Las reuniones tácticas suelen celebrarse semanalmente, aunque a algunos círculos les funciona celebrarlas en semanas alternas.

La práctica hace al maestro

Espero que estos capítulos introductorios te hayan dado una idea del cambio de paradigma que representa la holacracia. Si hay algo que he aspirado a transmitir, es que la holacracia no es simplemente una técnica suplementaria que puedas superponer a tu estructura existente, sino un cambio fundamental en la manera de actuar el poder y de organizarse una empresa. Esa es una buena noticia, porque la tecnología social que sustenta las empresas modernas se ha convertido en el principal obstáculo para su evolución y adaptabilidad, atrapándolas en un diseño de la era industrial. Muchos nos damos cuenta de esto, pero no tenemos más alternativa que tratar de ser unos jefes mejores y más fortalecidos dentro de las viejas estructuras. La holacracia ofrece una alternativa viable.

En los capítulos siguientes se describen la práctica de la holacracia y sus reglas del juego exclusivas para las organizaciones dinámicas impulsadas por un propósito. Si utilizo el término «práctica» es porque la holacracia es algo que sólo puedes entender completamente practicándola y aplicándola de manera regular, igual que hacer ejercicio, hablar un nuevo idioma o tocar un instrumento musical. Para que proporcione ventajas, la holacracia debe ser aplicada y practicada hasta que se convierta en algo habitual. Al igual que todos los nuevos hábitos, al principio te parecerá difícil, pero si perseveras en su práctica terminará convirtiéndose en una segunda naturaleza.

SEGUNDA PARTE

LA EVOLUCIÓN
EN FUNCIONAMIENTO:
LA PRÁCTICA
DE LA HOLACRACIA

4

LA GOBERNANZA

«Si estamos de acuerdo en que el problema económico de la sociedad es básicamente el de la rapidez en la adaptación a los cambios en circunstancias concretas de tiempo y lugar, de ello parecería convenirse que las decisiones definitivas deberían dejarse a las personas que estén relacionadas con estas circunstancias y que conozcan directamente los cambios relevantes y los recursos de disponibilidad inmediata para cumplirlos.»

—F. A. HAYEK, «The Use of Knowledge in Society»

Cuando contemplas a un equipo de jugadores profesionales moviéndose sin dificultad por la cancha o el campo de juego, interrelacionándose, pasando, defendiendo y marcando, ¿estás pensando en las reglas del juego? Si es un juego que conoces bien, probablemente no, al menos no más de lo que lo piensan los jugadores. La complicada serie de reglas y procesos que permiten que el juego continúe han pasado a un segundo plano. Sin ellas, claro está, el juego se reduciría a un caótico patear una pelota de acá para allá. Cuando todos los participantes del juego han asumido las reglas y aceptado jugar de acuerdo con ellas, estas se convierten en un hábito implícito, automático y que pasa desapercibido. Esto es, hasta que se infrinjan las reglas. En cuanto un jugador viola una norma, su existencia surge en el conocimiento consciente de los deportistas que están en el campo, los entrenadores, los árbitros y los seguidores. El silbato suena, se agita una tarjeta y se toma la medida adecuada para que el juego pueda volver a circular fluidamente y las normas pasen una vez más a un segundo plano.

La holacracia funciona de una manera muy parecida. Cuando sustituyes el liderazgo jerárquico por un proceso, este tiene que ser lo bastante sólido y elaborado para mantener a todo el mundo en consonancia y unificado mientras superan las complejidades de sus asuntos cotidianos. Los procesos de reuniones que definen el funcionamiento diario de la holacracia son como las contiendas deportivas: en tanto que todo el mundo siga las reglas, estas se convierten en una segunda naturaleza. Pero al principio, de forma muy parecida a cómo un niño aprende a practicar un deporte, te encontrarás teniendo que recordar las reglas y consultarlas una y otra vez. Entonces pueden parecer engorrosas, o restrictivas, pero existen por una razón. Si tu hijo de siete años te preguntara por qué no podría coger sin más la pelota con las manos y echar a correr con ella cuando jugara al fútbol, le explicarías que si todo el mundo hiciera eso sencillamente el juego sería otra cosa. Otro tanto pasa con la holacracia. En este capítulo y en el sexto te explicaré las reglas y procesos harto complejas y minuciosas para dirigir las reuniones de gobernanza. Muchas personas con las que trabajo jamás han estado en reuniones estructuradas hasta ese punto, y al principio no suelen verle las ventajas. Para algunos, las mismas palabras «reglas» y «estructura» sólo tienen connotaciones negativas. Sin embargo, como dice David Allen: «No hay libertad sin disciplina, ni visión sin forma... Si en la carretera no hubiera pintada ninguna línea, no serías libre para dejar vagar la mente y ser creativo mientras conduces. Estarías demasiado ocupado esperando que nadie chocara contigo. Pero si hubiera demasiados carriles, restricciones y normas, te encontrarías con que el tráfico se movería con mucha más lentitud de la que debiera, mientras que todo el mundo estaría tratando de estar atento a ocupar el lugar adecuado».[10]

Cuando empieces a practicar la holacracia, es posible que sientas que estás atrapado en ese tráfico que avanza con lentitud, teniendo que prestar más atención de la que estás acostumbrado. Te aseguro que si tú y tus colegas continuáis practicando la holacracia, siguiendo las reglas con la misma diligencia que un equipo de niños que jugara al fútbol, tarde o temprano descubrirás que te has olvidado de todo lo relacionado con las normas y los procesos, y que en su lugar puedes admirar el sistema fluido, espontáneo y eficaz de procesar las tensiones en que se ha convertido tu equipo. Al final, puede incluso que consideres la nueva situación como algo natural.

En mi época con la empresa de programación informática, me acuerdo de una reunión de gobernanza de nuestro Círculo General de la Empresa que se había previsto durara dos horas. En dicha reunión cambiamos nuestro sistema salarial de manera bastante espectacular, reestructuramos en buena medida parte de la organización y adoptamos algunas nuevas políticas que la afectaban en su totalidad. Ninguno de aquellos asuntos se había debatido o «socializado» con anterioridad a la reunión. Terminamos media hora antes de lo previsto, y todos los participantes se habían adherido incondicionalmente al camino a seguir (incluido el personal de primera línea allí presente como vínculos representativos de nuestros círculos secundarios). Cuando la reunión se dio por terminada, el orientador se disculpó por no haber hecho del todo bien su trabajo: le parecía que la reunión había durado más de lo necesario. Los demás estuvieron de acuerdo. No fue hasta que estábamos saliendo de la sala que consideré lo insólito de la situación en comparación a la mayoría de las organizaciones: todo lo que habíamos logrado en noventa minutos. Pero en una organización que ha dominado la holacracia, esta rápida reestructuración e integración son la norma.

Las reuniones de gobernanza

Cuando presento la holacracia en un taller de formación, no dedico mucho tiempo a explicar la teoría de los procesos de reuniones. En lugar de eso, divido a la gente en grupos, les asigno unas funciones en una empresa ficticia y les guío por una serie de simulaciones. Durante el proceso, todas las preguntas y objeciones de los participantes surgen de forma natural y se pueden responder; más importante todavía es que los participantes tienen la oportunidad de probar todo lo que las normas y la estructura del proceso hacen posible. En este capítulo, me esforzaré en aportarte tanto una visión general como la experiencia de una reunión de gobernanza al estilo de la holacracia, en la medida en que eso sea posible en un libro. Te asignaré una función y te guiaré gradualmente por un supuesto de reunión. Aunque no hay nada que pueda sustituir suficientemente a la participación directa, espero que esta degustación te abra el apetito para buscar la oportunidad de experimentarlo por ti mismo.

De las dos esferas que aborda la holacracia —la gobernanza y las operaciones— empezaré con la gobernanza, porque todas las operaciones de la organización descasan en la estructura levantada mediante aquella. La gobernanza es fundamental; es la sede del poder de la organización, y todas las autoridades y expectativas fluyen desde su proceso. Las normas de una reunión de gobernanza son sutiles y estrictas, y a menudo las más difíciles de seguir al principio. Pero son fundamentales. La gobernanza se ocupa de los problemas profundos utilizando un proceso «integrador» para reunir y considerar las aportaciones de la gente, sin depender de un único líder que arbitre, y tenemos un formato muy concreto para hacer que el proceso funcione. Las reuniones de gobernanza se celebran en todos los círculos, a menudo con una periodicidad mensual, para perfeccionar la estructura operativa del círculo.

DESCRIPCIÓN DE LAS FUNCIONES DEL ORIENTADOR

Propósito
Gobernanza del círculo y prácticas operativas que estén en consonancia con la constitución

Obligaciones
- Facilitar las reuniones del círculo exigidas constitucionalmente
- Auditar las reuniones y documentación del círculo cuando sea necesario, e iniciar el proceso de restauración definido en la constitución al descubrir un fallo en el proceso

DESCRIPCIÓN DE LAS FUNCIONES DEL SECRETARIO

Propósito
Administrar y centrar los registros formales y los procesos de mantenimiento de los registros del círculo

Campos
- Todos los registros del círculo exigidos por la constitución

Obligaciones
- Programar las reuniones necesarias del círculo y notificar las horas y lugares a todos los miembros esenciales de este
- Capturar los resultados de las reuniones necesarias del círculo y llevar un registro de las opiniones sobre la gobernanza actual del círculo, los elementos de las listas de control y las medidas
- Interpretar la gobernanza y la constitución cuando se le requiera

Las reuniones de gobernanza tienen unas funciones muy particulares, y la constitución limita expresamente los «resultados» permitidos en sus reuniones, esto es, la clase de actividades que se pueden incluir y las decisiones que se pueden tomar. La incapacidad de un orientador para comprender y atenerse a esta restricción socavará el sistema de la holacracia en su totalidad. En particular, las actividades permitidas en una reunión de gobernanza son:

- crear, modificar o eliminar las funciones dentro del círculo
- crear, modificar o eliminar las políticas que gobiernan el campo del círculo
- elegir los miembros del círculo para desempeñar las funciones electas (orientador, secretario y enlace representativo)
- crear, modificar y disolver los círculos secundarios

Con la práctica, los miembros del círculo aprenderán que esta clase de asuntos se abordan mejor a través de los cambios efectuados en la gobernanza. Si una labor clave ha sido ignorada de manera sistemática, y se hace evidente que tiene que añadirse a las obligaciones de una función concreta, este es un posible objetivo para una reunión de gobernanza. Si la relación entre dos funciones no está clara, crea tensión y problemas de comunicación; eso es algo que se puede aclarar en una reunión de este tipo. Si el individuo que desempeña una función quiere la autoridad para tomar ciertas decisiones, o establecer límites a la autoridad de los demás, esto también puede ponerse sobre la mesa. Las reuniones de gobernanza *no* son el lugar para ocuparse de la estrategia de la mercadotecnia, de los productos a ofrecer el año siguiente ni de cualquier otra decisión tendente a una acción que tenga que tomar el equipo. Estas son cuestiones operativas, y deberían abordarse en el día a día fuera de las reuniones o, a veces, en una reunión táctica. Explicaré este proceso más adelante.

Una prueba de la gobernanza

Abordemos un simulacro de reunión de gobernanza. Este supuesto se parece a uno que suelo utilizar en los talleres introductorios, y empezaremos con un ejemplo sencillo para que puedas ver cómo funciona el proceso. Los participantes de nuestra reunión ficticia son novatos en la holacracia, así que verás algunas dificultades y conocimientos con los que los nuevos practicantes se encuentran habitualmente en sus primeras reuniones de gobernanza después de que hayan adoptado el sistema.

Sin más preámbulos, bienvenido a la compañía Componentes Superiores, una pequeña empresa dedicada a la fabricación y venta de pequeños componentes para todo lo que tu dispositivo necesite. Componentes Superiores está integrada por un Círculo General de la Compañía y dos círculos secundarios: un círculo de Producción de Componentes y un círculo de Mercadotecnia. Además de un enlace principal y un enlace representativo para cada uno de los círculos secundarios, el Círculo General de la Compañía comprende las funciones Diseño de Componentes, Servicio al Cliente, Venta de Componentes, Gestor de la Página Web y Contabilidad, cada uno desempeñado exclusivamente por una única persona. Como he dicho, se trata de una empresa pequeña.

La reunión de gobernanza en la que estás a punto de participar tiene lugar en el Círculo General de la Compañía (CGC).

Empresa componentes insuperables

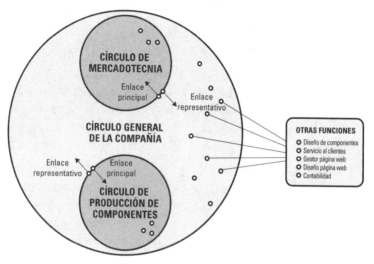

Todo el que desempeña una función en ese círculo está invitado a participar, como lo están los vínculos principales y representativos que conectan el CGC con cada uno de los círculos secundarios. Para esta reunión, tú desempeñas la función Venta de Componentes. A continuación, figura una rápida síntesis de los pasos que seguirás en el proceso de reunión de gobernanza.

PROCESO DE REUNIÓN DE GOBERNANZA

1. Ronda de control
Uno a uno, cada participante tiene ocasión de expresar en voz alta las distracciones y orientar la reunión.

2. Asuntos administrativos
Abordar rápidamente cualquier asunto logístico, tales como el tiempo asignado a la reunión y los descansos previstos.

3. Elaboración del orden del día
Los participantes añaden elementos al orden del día, utilizando sólo una o dos palabras por punto. Cada elemento representa una tensión que hay que procesar. El orientador los recopila todos en una lista.

4. Procesar cada punto del orden del día utilizando el proceso de toma de decisiones integrador.

Cada punto del orden del día es tratado uno por uno, utilizando el proceso de toma de decisiones integrador.

5. Ronda de clausura

Una vez liquidado el orden del día o la reunión esté cerca de su fin previsto, el orientador da la oportunidad a cada persona para que haga una reflexión final sobre aquella.

1. Ronda de control

La reunión se inicia con un turno de control. Cada uno de los miembros del círculo es invitado a que vea y cuente sucintamente qué es lo que capta su atención. El objetivo es estar más presente y atento tomando conciencia de cualquier distracción del momento: corrientes de pensamiento, molestias físicas o estados emocionales. El control también proporciona el contexto a tus compañeros de equipo, de manera que si no apareces con tu habitual encanto, tengan alguna idea de lo que está pasando y a qué atribuirlo.

Durante este turno se puede hablar casi de cualquier cosa. Una persona se siente un poco indispuesta; el miembro del círculo que desempeña la función Servicio al Cliente acaba de dejar su perro en el veterinario y está preocupado por su mascota; al miembro encargado de la función Diseño de Componentes le distrae un plazo que vence al día siguiente y quiere que la reunión acabe pronto. Los demás se sienten simplemente bien o no tienen nada especial en la cabeza. En este turno, no tienes que hablar de ningún detalle que te pudiera hacer sentir incómodo, pero tomar conciencia de lo que tienes en la cabeza y ponerlo sobre la mesa es una manera muy eficaz de hacer que todo el mundo viva el momento presente.

La ronda de control no es el lugar para ningún tipo de debate; de hecho, la labor del orientador es proteger este «espacio sagrado» y no permitir ninguna charla incidental ni respuesta del tipo que sea. Esto puede resultar todo un reto. Refrena el instinto de manifestar comprensión u ofrecer consejo; no es el momento para ello. Esta norma también garantiza que la gente no esté a la defensiva, sabiendo que no darán pie a reacciones indeseadas ni intromisiones en sus vidas personales. Una vez terminado este turno, el equipo debería estar más presente y atento, listo para pasar a la siguiente etapa del proceso.

2. Asuntos administrativos

Muy brevemente, el orientador aborda cualquier limitación práctica a la reunión. Por ejemplo, esta sólo tiene asignados noventa minutos, y uno de los miembros del círculo tiene que marcharse antes. Esta fase debería mantener la brevedad y circunscribirse exclusivamente a las cuestiones administrativas; no permitas que se convierta en espacio para algo más.

3. Elaboración del orden del día

Llegados a este punto, es el momento de elaborar el orden del día para la reunión. Los puntos concretos a tratar en ella no están preestablecidos; por el contrario, el orden del día se elabora sobre la marcha. Cualquier miembro del círculo puede añadir un elemento al orden del día con la intención de procesar una tensión para modificar la gobernanza del círculo. Ahora bien, la etapa de elaboración del orden del día no es el momento para que la gente *explique* sus tensiones; lo único que necesita el orden del día es un recordatorio de una o dos palabras, y si pasa de ahí el orientador lo reducirá. Por ejemplo, el enlace principal de Mercadotecnia tiene una tensión relacionada con el envío de los boletines por correo electrónico, porque la página web de la empresa a la que están conectados sus boletines no suele incluir la información actualizada sobre los componentes de reciente creación. Pero este no es el momento para que Mercadotecnia explique todo esto. Lo que hace es añadir algo como «actualizaciones de la página web» al orden del día como recordatorio de esa tensión.

En el desempeño de tu función como Venta de Componentes tienes una tensión relacionada con el precio de los componentes, que, según te han dicho los clientes, es demasiado alto. Entonces agregas «precios componentes» al orden del día. Una vez que han sido añadidos los puntos del orden del día deseados, el orientador impele al grupo a procesarlos, uno a uno, utilizando el «Proceso de toma de decisiones integrador».

4. *Toma de decisiones integradora*

SÍNTESIS DEL PROCESO DE TOMA DE DECISIONES INTEGRADOR

Propuesta actual   *Quién habla: sólo el proponente, a menos que se pida ayuda*

El proponente tiene ocasión de describir una tensión y presentar una propuesta para resolverla, sin que medie debate. El proponente puede solicitar de manera opcional una deliberación sólo para ayudar a elaborar una propuesta, pero no para lograr un consenso ni incluir preocupaciones.

Preguntas aclaratorias   *Quién habla: pregunta cualquiera, responde el proponente; repetir*

Cualquiera puede hacer una pregunta aclaratoria para obtener información o entender algo. El proponente puede responder o decir «sin especificar». No se permite reacciones ni diálogos.

Turno de reacciones   *Quién habla: todos, por turnos, excepto el proponente*

Cada una de las personas tiene ocasión de reaccionar a la propuesta según lo estime conveniente; las reacciones deben adoptar la forma de comentario en primera o tercera persona. No hay debates ni respuestas.

Modificar y aclarar   *Quién habla: sólo el proponente*

El proponente puede, de manera opcional, aclarar más la intención de la propuesta o modificarla basándose en las reacciones, o simplemente seguir adelante. No se permite ningún debate.

Turno de objeciones   *Quién habla: todos, incluido el proponente, por turnos*

El orientador pregunta: «¿Veis algún motivo para que la adopción de esta propuesta causase algún daño o nos hiciera retroceder?» (una «objeción»). Las objeciones se exponen, se ponen a prueba y se recopilan sin debate alguno; si no aparece ninguna, se aprueba la propuesta.

Integración   *Quién habla: sobre todo el objetor y el proponente; los demás pueden ayudar*

Se dirige la atención a cada una de las objeciones de una en una. El objetivo es elaborar una propuesta modificada que no cause la objeción, pero que aun así resuelva la tensión del proponente. En cuanto esté todo integrado, se vuelve al Turno de Objeciones con la nueva propuesta.

Como Venta de Componentes, has agregado al orden del día el punto «precios de los componentes», y ahora es el momento de procesarlo. En primer lugar, se te invita a que **presentes tu propuesta** y, si quieres, la tensión que la provocó. Si no tienes ninguna propuesta, puedes hablar de la tensión e invitar a un debate abierto que te ayude a elaborar la propuesta; pero en nuestro supuesto, tú sabes que crees que la solución a tu tensión debería ser: «Propongo que reduzcamos el precio de nuestro componente básico un cincuenta por ciento». A modo de explicación, les hablas de la tensión: «Nuestros clientes me dicen constantemente que el precio es demasiado alto. Ese componente básico se supone que ayuda a vender nuestros componentes más complejos, y si es demasiado caro para atraer a nuevos clientes, no está cumpliendo con su función». El secretario recoge la formulación de tu propuesta para que todo el mundo la vea.

Con tu propuesta encima de la mesa, el orientador pasa a la siguiente etapa y da ocasión a todos para que hagan **preguntas aclaratorias** con el único propósito de que entiendan tu propuesta o la tensión que encierra. Este no es momento para debates ni respuestas. Cuando Contabilidad intenta exclamar: «¿Por qué el cincuenta por ciento? ¡Es una sugerencia ridícula!», el orientador le corta antes siquiera de que termine la frase, porque su tono indica inmediatamente que está expresando una reacción o una opinión, y no haciendo simplemente una pregunta aclaratoria. O supón que el enlace principal pregunta: «¿No crees que un precio más bajo podría perjudicar nuestra rentabilidad?» El orientador la rechazará y le cortará, porque se trata de una reacción disfrazada de pregunta. Todo lo que transmita una opinión al proponente probablemente sea una reacción; las preguntas aclaratorias tienen por único objetivo recabar información de aquel. Cuando el responsable de la función Diseño de Componentes pregunta si la propuesta se refiere sólo al precio unitario del componente o también a los precios al por mayor, es una buena pregunta. Ahora bien, como proponente, siempre puedes responder a una pregunta aclaratoria diciendo simplemente: «No se especifica en la propuesta», de manera que no tengas que sentirte presionado para encontrar respuestas a todo por adelantado.

Una vez terminadas las preguntas aclaratorias, el orientador pasa a la siguiente fase, el **turno de reacciones**, durante el cual cada una de las personas airea sus reacciones a la propuesta. Vale casi todo, pero no se permiten ni las charlas incidentales ni responderse unos a otros. Las reacciones podrían ser del siguiente tenor: «Estoy completamente de acuerdo, ¡me encanta la idea!» o «¡Me parece descabellado!» El comentario de Contabilidad de que la rebaja del precio es una ridiculez, que fue rechazada cuando se hizo disfrazada de pregunta aclaratoria, se acoge con satisfacción en esta ronda. Alguien podría tener una idea diferente, o criticar esta manera especial de abordar la tensión original que suscitó la propuesta; una vez más, y sean las que sean, no se polemiza con las reacciones ni se responde a ellas. En esta ronda de reacciones, que se lleva a cabo en la sala, interviene cada persona por turnos, y todas, excepto el proponente, tienen una oportunidad y sólo una para hacer públicas las reacciones.

Una vez terminado el turno de reacciones, el orientador vuelve a ti como proponente y te da la oportunidad de **modificar y aclarar** la propuesta como consideres oportuno basándote en las preguntas o las reacciones. También te anima a que seas «egoísta» en nombre de tu función y a que ignores las reacciones que no te parezcan lógicas. El objetivo de esta fase no es el de integrar las reacciones de todo el mundo, sino sólo el de hacer cualesquiera cambios que pudieran ayudarte a tratar mejor tu tensión. También tienes la oportunidad de aclarar cualquier malentendido o de agregar algunos datos nuevos que consideres pueden ayudar a la gente a entender mejor lo que estás proponiendo y por qué. En última instancia, como Venta de Componentes, eres tú quien decide aclarar tus intenciones de ajustar más los precios y modificar la formulación de tu propuesta para especificar el precio del artículo unitario nada más.

Registrada tu propuesta modificada por el secretario, el orientador pasa al **turno de objeciones** y pregunta de una en una a cada persona si tiene alguna «objeción» a tu propuesta, entendiendo por objeción *una razón concreta de por qué adoptar la propuesta sería perjudicial para el círculo o lo haría retroceder*. Las objeciones se exponen sin lugar a debates ni preguntas y son recogidas por el orientador. Si no surge ninguna, la propuesta es admitida. En este caso, hay una objeción de Contabilidad, que dice que los componentes no serán rentables si el precio se reduce a la mitad, y que eso será perjudicial. El orientador registra la objeción y sigue adelante. Atención al Cliente también plantea una objeción: «Asimismo tenemos que considerar el precio de nuestros servicios de asistencia a largo plazo, porque también son demasiado caros. Necesitamos una revisión más homogénea de nuestra estrategia de precios».

El orientador se detiene a considerar este comentario, porque podría tratarse de un asunto relacionado que también debería tratarse, aunque quizá realmente no exprese una razón para que la propuesta del precio de los componentes hiciera retroceder al círculo. «¿Es esta una razón para que la propuesta concreta fuera perjudicial, o es sólo algo más que deberíamos considerar?», pregunta el orientador. Atención al Cliente se da cuenta de que se trata de esto último, así que abandona la objeción y opta por agregar su tensión al orden del día para que se trate cuando corresponda; analizaremos la razón de este proceder más a fondo en el capítulo 6. El orientador sigue adelante con el turno de objeciones y no encuentra ninguna más, excepto una que plantea él mismo: «No es un resultado de gobernanza válido».

¿Qué significa esto? Pues que en su actual formulación, la propuesta no es en realidad algo que una reunión de gobernanza pueda decidir, con arreglo a las condiciones establecidas en la constitución. Recuerda, la gobernanza consiste en definir y modificar las funciones y en establecer las políticas. Decidir el nivel concreto del precio de un servicio es un asunto operativo. Tal vez ya habías reparado en ello y te estuvieras preguntando el motivo de que haya escogido un ejemplo de propuesta que no es válido. Si lo hice así fue porque ilustra una de las primeras y más importantes lecciones que hay que aprender cuando se adopta la holacracia: qué es la gobernanza y qué no lo es. Por otra parte, veo ejemplos como este al orientar a los nuevos practicantes de la holacracia, y es uno de los primeros problemas que un nuevo orientador tiene que aprender a abordar.

Bueno, ¿y qué pasa ahora? ¿El orientador rechaza la propuesta sin más? Rotundamente no, eso estaría fuera del alcance de su autoridad y dañaría el proceso. De hecho, la propuesta es una *aportación* perfectamente válida para poner en marcha el proceso de gobernanza, no un *resultado* válido. Cuando se presenta una propuesta bajo una forma que no es válida para la gobernanza, surge una oportunidad de profundizar. Esta es también la razón de que el orientador no detenga sin más la propuesta al principio y te reoriente hacia una reunión operativa: hacerlo habría abortado la oportunidad de descubrir si tu tensión no lleva implícito un problema de gobernanza, y casi seguro que lo hay. Si hubieras sabido con certeza quién es el responsable de fijar los precios y quién tiene la autoridad para cambiarlos, de entrada es muy posible que no hubieras tenido la necesidad de proponer la decisión a todo el grupo. Pero un rápido vistazo a los registros de la gobernanza del círculo confirma que no existe una asignación explícita de esa responsabilidad, así que se hace necesario que haya más aclaraciones al respecto. ¿Qué función tiene la autoridad para decidir los precios, y qué obligaciones es necesario que conlleve esa función? *Esta* sí que es una cuestión que atañe a la gobernanza.

Y, en consecuencia, y registrada esa objeción, el orientador inicia la fase de **integración** del proceso, y comienza centrándose en esa objeción y preguntando: «¿Qué podemos añadir o corregir de esta propuesta para abordar esta objeción?» A esto le sigue un debate abierto, en el que el objetante aclara la objeción, si fuera necesario, y sugiere posibles modificaciones para salvarla, mientras que el proponente sopesa si tales modificaciones seguirían ocupándose de la tensión original. En este caso, la objeción está clara: los precios no son un asunto de la gobernanza. Así las cosas, recabas la ayuda del grupo para crear una propuesta modificada que permanezca dentro del ámbito de aplicación de la gobernanza, pero que siga ocupándose de tu tensión.

> *Crear nueva función: Gestor de Precios*
> *Responsable de:*
> *El estudio y selección de modelos rentables de precios que conecten con el mercado meta definido por Mercadotecnia.*

Esta nueva propuesta ya no preceptúa la decisión operativa de bajar los precios al 50 por ciento; en su lugar, define las obligaciones y autoridades actuales necesarias para resolver la decisión operativa correcta. Por eso, este sí es un resultado válido de gobernanza, y el objetor admite que la propuesta modificada resolvería la objeción.

Con la objeción resuelta, el orientador se centra en la otra sugerida por Contabilidad relativa al daño inferido a la rentabilidad, pero puesto que la propuesta corregida ya no preceptúa una decisión específica, ese objetor desiste rápidamente de la suya, satisfecho con que no se derive ningún perjuicio por promocionar una función de Gestor de Precios encargado de buscar el modelo rentable de precios adecuado. Con todas las objeciones resueltas o rechazadas, el orientador interrumpe la fase de integración y vuelve al turno de objeciones para revisar las que haya a la propuesta modificada. Una vez que no surge ninguna, la propuesta es aprobada como parte de la gobernanza formal del círculo, y de esta manera se crea una nueva función.

Con la tensión convertida en una nueva e importante aclaración, te sientas y te relajas, sabiendo que puedes plantear objeciones si cualquier otra propuesta amenaza con anular el avance logrado. Los demás puntos del orden del día son tratados y, cuando se aproxima la hora programada para el fin de la reunión, el orientador introduce al grupo en una **ronda de clausura**, dando a cada uno de los asistentes la oportunidad de expresar sus reflexiones sobre la reunión. Una vez más, cada uno habla por turno, no se permiten debates ni respuestas, y la reunión se acaba en cuanto la última persona haya hablado.

Espero que este ejemplo te haya permitido vislumbrar esta a menudo invisible aunque esencial función de la gobernanza, y te hayas hecho una idea de cómo es el proceso de reuniones de gobernanza en la holacracia. Entre el abanico de propuestas e integraciones posibles en una reunión de gobernanza, este ha sido un ejemplo bastante sencillo. A veces, para resolver una tensión, también se precisa hacer propuestas más complejas que conlleven múltiples proposiciones de cambios en multitud de funciones y políticas; y en el camino, también suelen surgir una multiplicidad de objeciones, tanto válidas como inválidas. En el capítulo 6, trataremos de la forma de comprobar la validez de las objeciones, además de la manera de tratar las conductas perturbadoras que amenazan con malograr el proceso de gobernanza. Por el momento, basta con que recuerdes esto: las reuniones de gobernanza tienen que ver con el desarrollo del patrón y la estructura de la organización —con definir el modo en que trabajaremos juntos—, no con la dirección de negocios concretos o la toma de decisiones sobre problemas específicos.

Esto no quiere decir que en estas reuniones evitemos todas las deliberaciones acerca de los asuntos operativos; las propuestas de la gobernanza suelen estar inspiradas por necesidades o actividades operativas específicas, como en el ejemplo tratado arriba. Siempre que algo no haya ido todo lo bien que nos hubiera gustado, puede que haya alguna mejora esperando a ser descubierta en una reunión de gobernanza. La clave para generar resultados de gobernanza válidos cuando se plantean los problemas operativos, consiste en volver a desplazar la atención desde las cuestiones específicas a la estructura inherente: a las funciones en juego, y al propósito, obligaciones o campos de cada una. Pese a que las reuniones de gobernanza no pueden decidir los precios, sí pueden decidir qué función tiene encomendada la decisión, o cuál otra controla el modelo de precios, o qué otras más deberían ser consultadas antes de cambiar los precios. Para que una organización funcione bien, es esencial aclarar tales cuestiones. Si no se presta una atención especial y no se mantiene un espacio claro para la gobernanza, es tan fácil dejarse atrapar en las operaciones cotidianas que la gobernanza simplemente no se produce, en cuyo caso la organización continúa con los mismos viejos patrones. Las reuniones de gobernanza celebradas con regularidad pueden cambiar tales patrones y mejorar espectacularmente la claridad y agilidad organizativas.

Resultados de gobernanza

Aunque el proceso de reuniones de gobernanza es útil para integrar las diversas perspectivas e impulsar la claridad, lo que lo hace realmente transformador es la manera en que los resultados moldean la actividad cotidiana después de la reunión. Las funciones y las políticas que provienen de la gobernanza constituyen las claves para el sistema de distribución del poder de la holacracia y son el ADN del diseño de la organización, aunque todo esto se pierde si las personas involucradas no acaban de comprender del todo qué autoridades conllevan sus funciones. Por suerte, puede utilizar esta sencilla regla para recordar el significado más profundo de las definiciones de las funciones y liberar la claridad codificada que encierra:

LOS REGISTROS DE LA GOBERNANZA:
TU ADN ORGANIZATIVO

Los registros de la gobernanza de una organización describen detalladamente la estructura general de esta y se pueden utilizar para identificar las expectativas y autoridades de cada una de las funciones. La mayoría de la gente de una organización que practica la holacracia acudirá a estos registros regularmente, incluso múltiples veces al día. El sistema entero se debilitará si los registros de la gobernanza no están claros ni son de fácil consulta. Para lograr esto, puedes utilizar una página web de colaboración genérica o una plataforma de acceso restringido similar, siempre que la configures con cuidado, aunque suele ser mejor una herramienta más estructurada. A tal efecto, HolacracyOne ofrece una plataforma de programación basada en la Red llamada GlassFrog (para más detalles, véase glassfrog.com). Aunque finalmente te decidas a utilizar otra herramienta para la tarea, un repaso a GlassFrog te ayudará a entender qué es lo que se necesita en una buena plataforma de apoyo de la holacracia.

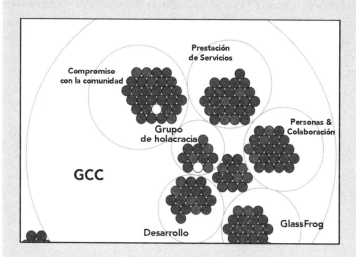

Cuando desempeñas una función, adquieres la **autoridad** para llevar a cabo cualquier acción que consideres útil para expresar el **propósito** de esa función o dinamizar una de sus **obligaciones**, además de lo que puedas con los recursos que tienes disponibles, siempre que no violes el **campo** de otra función.

He aquí un ejemplo tangible de cómo funciona esto: en un momento dado, el círculo de Divulgación de HolacracyOne tenía una función denominada cariñosamente Mariposa de Medios Sociales, con el propósito de «polinizar la Red con la holacracia» y diversas obligaciones, entres las cuales estaba «la creación o abastecimiento de contenido de consumo rápido interesante para nuestro mercado y su envío a los canales de medios sociales y sitios web de contribución abierta».

Dicha función se creó en una reunión de gobernanza de nuestro círculo de Divulgación; el enlace principal de este se asignó a Olivier, uno de nuestros socios, para que la desempeñara. En consecuencia, y según su leal saber y entender, Olivier puede definir qué acciones serían las más útiles para cumplir el propósito de Mariposa o expresar sus obligaciones, y tiene plena autoridad para ejecutar tales acciones —sin necesidad de la aprobación de nadie—, a menos que estas «ejerzan control» dentro del campo de otra función.

Mariposa de las redes sociales

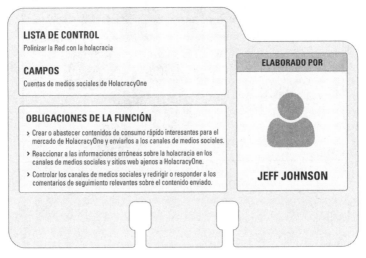

Así, por ejemplo, en calidad de nuestra Mariposa de Medios Sociales, Olivier puede decidir libremente enviar comentarios sobre un blog de alguien que sea relevante para la holacracia, pero, pongamos por caso, no podría añadir nuestro enlace de Facebook a las diapositivas de nuestros cursos de formación oficiales. La razón de esto se debe a que el campo de las «diapositivas de los cursos de formación oficiales» se incluyó en nuestra función Diseño de Programas en otra reunión de gobernanza, y por consiguiente la autoridad de Olivier en la función Mariposa de Medios Sociales está limitada; sólo puede adoptar esta medida si primero obtiene la aprobación de Diseño de Programas. Y, por otro lado, el resto de nuestro equipo puede emprender las acciones que consideren útiles para expresar el propósito y obligaciones de sus funciones, pero si quieren añadir algo a nuestra página de Facebook necesitan la aprobación de Olivier en tanto que Mariposa de Medios Sociales, porque es esa función la que tiene el campo de «páginas y cuentas de las redes sociales de HolacracyOne.»

Así las cosas, puedes considerar que un dominio es un derecho de propiedad, lo cual nos lleva a otra sencilla regla básica de la práctica de la holacracia: eres libre de hacer todo lo que desees con tu propiedad (el campo de tu función), pero no de ejercer ningún control en la propiedad de tus vecinos sin su permiso. Podemos ampliar esto e incluir también a los círculos: si a un círculo se le ha concedido el control de un campo, y posteriormente no se ha delegado ese campo a una de sus funciones, entonces dicho campo se considera «propiedad comunal» de todas las funciones que contiene ese círculo, y cualquiera de ellas puede ejercer el control dentro de él. Considera el campo como un coche familiar; cualquier miembro de la familia puede conducirlo a su antojo, pero el vecino necesita permiso.

¿Qué es lo que se considera como «Política»?

Las construcciones primordiales de gobernanza que definen la forma de trabajar de un círculo son sus funciones y los elementos que hemos examinado que definen tales funciones: propósito, campos y obligaciones. Pero hay otra producción de la gobernanza que vale la pena definir: una política. La constitución de la holacracia da a esta palabra un significado concreto que *excluye* lo que la mayoría de las personas consideran «políticas». En la holacracia, una «política» se define como «la concesión

de, o el límite a, una autoridad para afectar al campo de un círculo/
función». Así que cuando un círculo controla un campo (su propiedad),
aquel puede fijar una política en una reunión de gobernanza para permitir que las funciones externas afecten a esa propiedad o impedir que sus
propias funciones afecten a esa propiedad en ciertos aspectos.

Veamos un ejemplo. Una compañía con la que trabajé, una empresa
de publicación de contenidos, englobaba a un círculo de Mercadotecnia
con un campo de la «página web de la empresa». En circunstancias normales, eso impediría que cualquier función externa a ese círculo afectara
a la página web. Sin embargo, el círculo de Mercadotecnia decidió adoptar una política, vía gobernanza, de permitir que ciertas funciones externas editaran determinados contenidos. Por ejemplo, un círculo que or-
ganizara actividades tendría libertad para actualizar la información
relacionada con su función en la página de Internet. El círculo de Mercadotecnia también podía, si lo consideraba pertinente, adoptar una política de limitar la manera que tendrían sus propias funciones de afectar
a la página web; por ejemplo, una política podía evitar que cualquiera
enviara contenidos sin un refrendo de la función Editor de la Página
Web. Ahora bien, las políticas no son la herramienta adecuada para la
mayoría de las decisiones aparte de las concesiones o limitaciones de
poder para afectar a un campo. Las políticas no deberían utilizarse para
registrar las decisiones operativas concretas, como la fijación de los
precios, o para plasmar el rumbo general hacia el que debería dirigir-
se la gente. En la mayoría de los casos esta clase de cosas no cumplirán
con la definición que de una política hace la holacracia, y no son produc-
ciones válidas de una reunión de gobernanza. Asimismo, ten cuidado con
las políticas que en realidad deberían ser registradas como obligaciones;
una política puede limitar lo que ciertas funciones pueden *escoger* hacer
o cómo pueden *escoger* hacerlo, como en el ejemplo anterior, pero si esto
crea una expectativa de que alguien debería *terminantemente* hacer algo,
entonces lo que quieres es una obligación, no una política.

De la misma manera que un círculo define políticas en sus reuniones
de gobernanza, así también una función puede definir políticas. Esto es
aplicable si la función tiene su propio campo que controlar. Por ejemplo,
si el círculo de Mercadotecnia de la empresa de publicación incorpora
un campo de «página web de la empresa» a su función Director de la
Página Web, aquel está delegando de manera efectiva y expresa la auto-

ridad para controlar ese campo desde todo el círculo a la función Director de la Página Web. El miembro del círculo que desempeña esta última función tendría entonces el poder para crear o modificar las políticas que rijan la página web fuera de las reuniones de gobernanza del círculo (o mejor dicho, en su propia reunión de gobernanza, de sólo una persona). Más tarde, el círculo puede dejar de delegar ese campo quitándoselo al Director de la Página Web, pero hasta que eso ocurra, corresponde a la función de este último controlar la página en Internet y definir las políticas relativas a quién tiene permitido afectarla y cómo.

La regla de la acción individual

Con independencia de cuánta sea la claridad organizativa que creemos por medio de la gobernanza, surgirán situaciones que exijan una respuesta urgente fuera de los límites normales de la autoridad de una función. ¿Qué es lo que haces cuando te enfrentas a una situación así, sin tiempo para consultar con los demás y mucho menos para convocar una reunión de gobernanza? Por ejemplo, en una ocasión me encontré echándole una carrera a otra empresa para registrar el nombre de un dominio clave para una página en Internet. A la sazón, mi empresa tenía la política de que todas las adquisiciones de nombres de dominios tenían que ser hechas por nuestra función Tecnología de la Información, pero aquello sucedió durante un fin de semana; si hubiera esperado hasta el lunes, habría perdido una oportunidad importante. Más recientemente, observé cómo una colega llegaba de pronto y cambiaba la asignación de los sitios durante un encuentro de la empresa en un intento de última hora de hacer que los invitados se sintieran cómodos, aunque ninguna de sus funciones tenía la autoridad para hacerlo. Sabía que se estaba entrometiendo en el territorio de otra función, pero percibía una tensión, no podía localizar al encargado de la función pertinente y decidió que el cambio de sitios era lo correcto para ayudar a la empresa.

Para casos así, la constitución de la holacracia permite la «acción individual»; en efecto, hay una regla sobre cómo infringir las reglas. La norma de la acción individual establece que actuar fuera de los límites de tu autoridad formal está permitido y no será considerado una violación de la constitución, siempre que: 1) creas que la acción resolverá más tensión en beneficio de la organización de la que podría originar;

2) que no haya tiempo para solicitar un permiso a las otras funciones que sería exigible en circunstancias normales; y 3) que la acción no comprometa más recursos o activos de la organización de los que de otro modo estás autorizado a comprometer. Esta es la versión resumida; puedes encontrar todas las reglas y detalles en la constitución.

Este permiso para actuar fuera de las normas conlleva como resultado algunas exigencias. Si llevas a cabo una acción individual, debes aceptar informar a las demás funciones que puedan verse afectadas y, a petición de ellas, adoptar nuevas medidas reparadoras para resolver cualquier tensión provocada por tu actuación individual. También debes aceptar que si llevas a cabo repetidamente la misma acción individual, o bien propondrás agregar esa acción como obligación a una función en una reunión de gobernanza, de manera que el patrón sea debidamente codificado e incluido en la estructura de la organización, o bien encontrarás alguna otra manera de dejar de actuar fuera de la estructura formal.

Un fundamento familiar

Para armar todo esto, la constitución de la holacracia introduce dos elementos fundamentales de las sociedades humanas generales en nuestras organizaciones: hay un **estado de derecho**, mediante el proceso de gobernanza definido; y hay **derechos de propiedad**, gracias a los campos claramente definidos distribuidos entre las diferentes funciones. Estos elementos permiten una autonomía interrelacionada que debería resultar familiar por nuestra vida social cotidiana, pero hay una distinción esencial: mientras que un campo concede a *tu función* un derecho de propiedad, *a ti* no te concede ningún derecho de propiedad. Tu responsabilidad, si decides aceptar una función en una organización impulsada por la holacracia, es la de un administrador: controlas la función no en tu beneficio, sino en aras de la función. Tu labor consiste en controlar su propiedad y utilizar su autoridad en beneficio de su propósito, el cual, a su vez, presta servicio al propósito de su círculo, que, en última instancia, está al servicio del propósito de toda la organización. Igual que la obligación de un padre que cría a un hijo, la tuya como responsable de una función se convierte en un deber sagrado, la administración del camino de otro en el mundo; un acto de amor y de servicio, no en tu propio beneficio, pero de todos modos por tu propia voluntad.

OPERACIONES

> «Lo logrado está acabado; la alegría del espíritu reside en hacer.»
>
> —WILLIAM SHAKESPEARE, *Troilo y Crésida*

He aquí un consejo que aprendí mientras trabajaba en el austero mundo del desarrollo de los programas informáticos: «Tómate las cosas con calma para ir más deprisa». Ejercer la gobernanza significa tomarse las cosas con calma; te retiras del trabajo cotidiano para mejorar el patrón de la organización, mientras sacas tiempo para integrar muchos puntos de vista y atender a cada uno de ellos. Pero te retiras para acelerar las operaciones, y eso es precisamente lo que permite la buena gobernanza: sacar el trabajo, día a día, con mucha más efectividad, eficiencia y productividad. Esto te concede un conocimiento exacto de tus obligaciones y autoridad, de forma que, sabiendo lo que se espera de ti y lo que puedes esperar de los demás, puedas desempeñar mejor tus funciones. La buena gobernanza elimina la pérdida que experimentamos en las organizaciones convencionales jerarquizadas del predice y controla, cuando en la confusión se pierden infinidad de horas. Y permite que los trabajadores encuentren su propia motivación intrínseca y la autonomía y autoridad para actuar en consecuencia, liberando el potencial de una plantilla verdaderamente habilitada para resolver los asuntos.

Con una gobernanza nítida, ya no tienes que esperar a que otro te diga lo que tienes que hacer, ni buscar la aprobación ni el consenso para llevar adelante un proyecto: sabes a qué estás obligado y qué aportaciones, en su caso, tienes que conseguir. Una gobernanza clara te fortalece para que utilices tu leal saber y entender para impulsar tu función y hacer tu trabajo. Y siempre que esos factores no estén tan claros como podrías desear, puedes utilizar tu criterio para compensar temporalmente las carencias, y luego acudir a la siguiente reunión de gobernanza para generar mayor claridad con tu equipo.

En la holacracia, la esfera de las operaciones está integrada por todo lo que sucede fuera de la gobernanza. Las operaciones consisten en utilizar la estructura definida en la gobernanza para desempeñar tus funciones y resolver los asuntos. Y consiste en coordinar el trabajo de manera efectiva con los demás miembros del equipo, basándoos en las *rolaciones* que haya establecido la gobernanza. Si sacar adelante tu trabajo depende de que otra persona haga algo, puedes consultar los registros de la gobernanza para ver de qué son responsables los demás y, en consecuencia, qué es lo que tienes derecho a esperar de ellos. Si quieres tomar una medida y no estás seguro de si puedes hacerlo, los registros de la gobernanza te dirán qué autoridad tienes para actuar por tu cuenta y cuáles son las limitaciones que tienes que respetar. Y cuando sí tengas la autoridad para actuar pero te preocupe que hacerlo pueda provocar tensión en los demás, es mucho más seguro y cómodo llevar a cabo la acción cuando sabes que cualquier tensión que se derive será transformada en enseñanza organizativa en la siguiente reunión de gobernanza, y cuando, para empezar, tu equipo tenga voz para concederte esa autoridad.

Dentro de la estructura básica creada por medio de la gobernanza, la holacracia proporciona más distinciones operativas, normas y procesos ligeros que ayudan a un equipo a hacer el trabajo conjuntamente y a expresar sus funciones. Con cierta experiencia, esto puede facilitar un nivel de productividad bastante notable. Alexis Gonzales-Black describió esto primorosamente cuando le pregunté cómo avanzaban los intentos de su equipo en Zappos. Ella desempeña varias funciones en el círculo de Facilitación de la Holacracia, el cual ha asumido el considerable proyecto de formar a los orientadores internos y ayudar a poner en marcha más de cuatrocientos nuevos círculos durante la implantación de la holacracia en Zappos. Alexis me contó que «los resultados de este círculo son impresionantes, y van desde aumentar el número de orientadores titulados de cero a sesenta y tres en menos de ocho meses, hasta la creación e implantación de programas y políticas de control de calidad, pasando por albergar a los protagonistas de la implantación departamental que van camino de tener a toda la compañía funcionando en la holacracia a final del año. ¿La sorpresa? La mayoría de los encargados de las funciones sólo están comprometiendo alrededor del 5 por ciento de su tiempo al trabajo de este círculo concreto. La capacidad de la gente para reunir partes muy pequeñas de su tiempo y lograr algo tan grande es en realidad un testimonio de la holacracia».

Ahora volveremos a algunos de los procesos y normas fundamentales que contribuyen a esta clase de productividad, mientras exploramos más a fondo el campo de las operaciones estilo holacracia.

Los aspectos fundamentales

Si queremos hacer las cosas con el mínimo lastre posible, es conveniente tener claro qué resultados queremos conseguir y cuáles son los siguientes pasos que nos llevarán a conseguirlos. La constitución define «proyecto» como un resultado que se pretende lograr, y «acción siguiente» como una acción física concreta que se podría ejecutar ya, al menos siempre que no entren en competencia otras prioridades. En lo relativo a estas definiciones, estoy en deuda con David Allen, el autor de *Organízate con eficacia*, que me enseñó gran parte de lo que sé sobre la organización individual eficaz y cuya obra ejerció una influencia fundamental en la creación de la holacracia. Como David explica: «En realidad, tú no puedes hacer un proyecto; sólo puedes llevar a cabo las medidas relacionadas con él. Cuando se han dado el número suficiente de acciones correctas, se habrá creado alguna situación que coincida de manera bastante aproximada con la idea inicial que tenías del resultado para que puedas considerarlo "realizado"».[11]

Por ejemplo, en una ocasión tenía el garaje hecho un verdadero desastre, y decidí que llevaría a cabo una acción siguiente para «limpiar mi garaje». Sin embargo, siempre que disponía de un rato libre en el que potencialmente podría haber hecho algo al respecto, me bloqueaba mentalmente: el panorama me desbordaba y volvía mi atención a cualquier cosa que no fuera el garaje. Mi problema era que «limpiar mi garaje» no es una acción siguiente; es el resultado que quiero conseguir y que requerirá múltiples acciones concretas para su consecución. Esto es, se trata de un proyecto. El proyecto se me antojaba abrumador porque yo no había hecho el esfuerzo mental necesario para identificar una acción siguiente concreta para hacerlo avanzar. A menudo he observado lo tozuda que es la mente humana cuando se trata de resistirse a alcanzar esa claridad hasta que nuestra conciencia nos obliga a ello; y mi fuerza de voluntad no estaba a su máximo nivel mientras me quedaba mirando fijamente mi desordenado garaje. Como David advierte: «La mayoría de las personas se resisten a crear su lista de proyectos como a la peste. La gente visionaria tiene problemas para precisar sus Grandes Ideas en un elemento tan concreto. Y a las personas ocupadas no les gusta tener que definir lo que de verdad están intentado conseguir con toda su actividad. Ahora bien, esta es la lista más funcional e importante que se puede tener para evitar sentirse abrumado por las realidades operativas más prácticas de la vida».[12]

En cuanto capturé de hecho «limpiar el garaje» como proyecto, me sentí libre para descubrir cuál era mi verdadera acción siguiente; el proceso mental siguió unos derroteros parecidos a esto: «Tengo un montón de cajas de cartón destartaladas ahí dentro que quiero reciclar, pero son demasiadas para dejarlas en la acera, así que tengo que encontrar un centro de reciclaje. Creo que el municipio tiene uno en alguna parte, y seguro que lo tienen registrado en su página web». Por consiguiente, mi acción siguiente fue: «Buscar en Google dirección y horario de atención del centro de reciclaje». Ahora que ya tenía claramente diferenciado mi proyecto de la acción siguiente, no sentí ningún impulso de postergar la cosa; de hecho, la acción era algo que podía hacer fácilmente y que me proporcionaría la sensación de una rápida victoria. Y una vez que estuvo hecho, identifiqué otra acción siguiente, y luego otra, hasta que en un momento dado me encontré con un garaje muy limpio sin que en el entretanto me hubiera sentido desbordado.

Fue muy útil tener identificado el proyecto de forma independiente de las acciones siguientes, porque así podía tachar una acción sin preocuparme de perder de vista mi objetivo global. E inclusive más allá de esto, el proceso de captura no sólo suprimió el sutil estrés, sino también el desperdicio de energía mental que suponía mantener todo el trabajo que necesitaba hacer en la cabeza, lo cual habría disminuido mi capacidad para estar totalmente concentrado y plenamente consciente a cada momento. Mantener unas listas separadas de los proyectos y las acciones deja libre mi mente para que pueda dedicarse a mejores cosas. Pues tan sencillo como es el asunto, no sabes la cantidad de ejecutivos que conozco que se sienten innecesariamente abrumados —o que como mínimo son menos productivos de lo que podrían ser—, debido en parte a que no distinguen entre los proyectos y las acciones siguientes.

La constitución de la holacracia introduce esa distinción básica. Para ayudar a aclarársela a los nuevos practicantes de la holacracia, recomiendo un formato específico para capturar un proyecto: *escríbelo como un enunciado que pueda ser verdadero o falso, que ahora mismo es falso pero que será verdad cuando el proyecto se haya hecho.* Esto te obliga a aclarar cuál es el verdadero resultado y ayuda a que todos conozcan su apariencia cuando esté «hecho». Por ejemplo, en lugar de tener un proyecto en tu lista denominado sólo «nueva página web», podrías capturarlo como «nueva página web creada» o «nueva página web presentada», dependiendo de cuál sea el resultado por el que te hayas decidido. En lugar de «formación clientes», prueba con «todos los clientes formados en los nuevos componentes». Las primeras construcciones dejan más espacio a la vaguedad y la falta de claridad; los segundos, animan a hacerse una sencilla pregunta: «¿Es ya real? Y si no es así, ¿cuál es el siguiente paso para hacerlo realidad?»

PROYECTOS O ACCIONES SIGUIENTES

Un proyecto es «cualquier resultado deseado que requiera una sucesión de acciones».

Una acción siguiente «es la siguiente actividad física y visible en la que ocuparse para hacer avanzar la realidad actual hacia su culminación».

Fuente: *Organízate con eficacia*, David Allen

La organización individual

La auténtica distribución de la autoridad de la holacracia transforma el escenario de las operaciones confiriendo a las personas de toda una organización una autonomía evidente para llevar a cabo acciones decisivas. Pero esa autoridad llega acompañada de una mayor obligación de autogestión. De hecho, con arreglo a la constitución de la holacracia, alguien que acepta la asignación de una función también asume ciertas responsabilidades explícitas, entre ellas:

- **Percibir y procesar las tensiones** que tengan que ver con el propósito y obligaciones de dicha función, a través de los diferentes canales disponibles.
- **Procesar las obligaciones:** identificar con regularidad las acciones siguientes específicas que podrías llevar a cabo y definir los proyectos que podrías tratar de alcanzar para cumplir con las obligaciones de la función.
- **Procesar los proyectos:** identificar de manera regular las acciones siguientes que harían avanzar cada uno de los proyectos de la función.
- **Hacer un seguimiento de los proyectos y las acciones siguientes:** capturar todos los proyectos y acciones siguientes de la función en una base de datos u otra forma tangible que sea accesible para los demás, externa a tu mente.
- **Dirigir la atención y los recursos:** teniendo en cuenta todas las circunstancias, decidir consciente y permanentemente la acción siguiente u otra actividad a la que sea más razonable dirigir tu atención y recursos, y luego llevar a cabo esa acción.

Para que toda persona cumpla con esa responsabilidad, se hace necesario un buen sistema de autogestión individual, un método ligero y flexible que te permita decidir conscientemente la mejor acción a tomar en un momento dado, entre todas las alternativas que tengas disponibles. No cumplirás con esos requisitos mínimos si te pasas la vida con la cabeza y la bandeja de entrada llenas de «cosas» sobre las que sabes que tienes que hacer algo, pero eso no se traduce de forma fiable en un inventario práctico de todo lo que podrías hacer, en un sistema que te permita decidir rápidamente y con seguridad entre esas tareas. La holacracia no indica qué sistema de organización deberían utilizar las personas para cumplir con los requerimientos básicos antedichos, sólo que tienen que encontrar la manera de cumplirlos; y hacerlo exigirá no sólo un buen sistema, sino que este vaya acompañado de nuevos hábitos.

Los deberes del miembro de un círculo

Además de sus responsabilidades básicas como encargados de sus funciones, los individuos también tienen deberes concretos para los compañeros del círculo. Entre ellos, el de ofrecer **transparencia** sobre los proyectos y el flujo de trabajo; **procesar** las peticiones, obligaciones y proyectos cuando los demás miembros del círculo le pidan que lo haga; y aceptar ciertas normas de **priorización** del tiempo, la atención y demás recursos. Encontrarás más información en la constitución y en el siguiente resumen.

Deber de transparencia

El deber de transparencia es especialmente importante para la sintonía del equipo. De cada uno de sus miembros se espera, previa petición, que proporcione transparencia a los demás compañeros en relación a:

1. **Proyectos y acciones siguientes:** compartir los proyectos y acciones controlados por cualquiera de las funciones propias en el círculo.
2. **Prioridad relativa:** compartir los criterios de prioridad relativa de cualquier proyecto o acción siguiente que esté siendo objeto de seguimiento comparados con las demás actividades.
3. **Previsiones:** compartir un cálculo aproximado de cuándo probablemente se completará un proyecto o acción siguiente, teniendo en cuenta la información actual.
4. **Elementos de las listas de control y criterios de evaluación:** durante las reuniones tácticas, informar de los criterios de evaluación solicitados por el enlace principal y de los elementos de las listas de control requeridos por los demás miembros del círculo. Examinaremos todo esto, detalladamente, más adelante en este capítulo.

Deber de procesamiento

El deber de procesamiento significa que además de las obligaciones inherentes a tus funciones, también estás obligado a procesar los mensajes y peticiones de los demás miembros del círculo, y específicamente:

1. **Procesar obligaciones y proyectos:** previa petición de procesar una obligación o un proyecto, tienes el deber de transformarla en una acción siguiente clara o recibir aclaraciones sobre lo que se está esperando.
2. **Solicitudes de proyectos y acciones siguientes:** previa petición de asumir un proyecto o acción siguiente específico, tienes el deber de considerar la petición y asumir la tarea si encaja en alguna de tus obligaciones.
3. **Solicitudes de afectar un campo:** previa petición de un compañero del círculo para afectar un campo de tu control, tienes el deber de considerar la petición y, si la rechazas, de explicar por qué la acción propuesta sería perjudicial.

Deber de priorización

El deber de priorización limita tu manera de utilizar tu tiempo, atención y demás recursos con arreglo a las siguientes normas.

1. **Procesamiento por encima de desempeños ad hoc:** tienes el deber de priorizar el procesamiento de los mensajes y peticiones entrantes de los compañeros del círculo sobre la realización de las acciones siguientes para tus funciones, con excepción de ciertos trabajos con limitaciones de tiempo. Ten en cuenta que este deber sólo se extiende a la *transformación* de los mensajes entrantes en acciones siguientes claras, y no necesariamente a llevar a cabo tales acciones.
2. **Reuniones solicitadas por encima de desempeños ad hoc:** cuando un compañero del círculo solicita que asistas a una reunión táctica o de gobernanza, esto tiene prioridad sobre la realización del trabajo (de nuevo, a excepción de ciertos trabajos con limitaciones de tiempo).

3. **Necesidades del círculo sobre los objetivos individuales:** tienes el
deber de priorizar en armonía con cualquier prioridad o «estrategia» especificada por el enlace principal del círculo, tema sobre el
que volveremos en el siguiente capítulo.

Reuniones tácticas

Como uno de mis socios comerciales dice: «Con la holacracia, nada se
interpone en el camino del trabajo», un práctico mantra cuando se trata
de considerar qué es lo que *no* hay que llevar a una reunión. Si sabes lo
que necesitas hacer a continuación y nada se interpone en tu camino,
hazlo y punto. Si sabes con quiénes tienes que hablar para hacer avanzar
un proyecto, *habla con ellos sin más*. Pero si no estás seguro de lo que
tienes que hacer y quieres alguna ayuda, o no has tenido la oportunidad
de coordinarte con las personas adecuadas durante una semana ajetrea-
da, la reunión táctica semanal proporciona un plan B. Las reuniones
tácticas son unos foros vertiginosos pensados para sincronizar a los
miembros del equipo de cara a la semana y priorizar los problemas que
estén limitando el progreso. Estas reuniones te permiten debatir las cuestiones operativas, ponerte al corriente de los proyectos en los que están
trabajando las demás funciones, proporcionar información actualizada
sobre los tuyos y pedir ayuda cuando la necesites.

Tras una ronda de control, las reuniones tácticas comienzan con
varios pasos pensados para poner sobre la mesa la información que
permita hacerse una idea de la realidad actual del círculo, inclusión
hecha de la revisión de los elementos de las listas de control y los criterios de evaluación, así como un espacio para compartir las actualizaciones de los proyectos. A esto lo llamo el preámbulo de la reunión. A
continuación, se elabora sobre la marcha un orden del día integrado
por las tensiones específicas a tratar en la reunión. El círculo recorre de
principio a fin los puntos del orden del día por turno, con el objetivo
de completar toda la lista en el tiempo asignado. Incluso los círculos
medianamente competentes que utilizan este proceso de reunión son
capaces de hacerlo con bastante fiabilidad y eficacia.

PROCESO DE REUNIÓN TÁCTICA

1. Ronda de control

Objetivo: Tomar nota de lo que capta tu atención, decirlo en voz alta y olvidarlo.

Espacio sagrado: sin charlas incidentales; tomar plena conciencia del aquí y ahora; sienta las bases para la reunión.

2. Revisión de las listas de control

Objetivo: Aportar transparencia a las acciones recurrentes.

El orientador lee la lista de control de las acciones recurrentes por función; los intervinientes responden «comprobado» o «no comprobado» para cada una del período precedente (p. ej., la semana anterior).

3. Revisión criterios de evaluación

Objetivo: Hacerse una idea de la realidad actual.

Cada función con un criterio de valoración asignado informa de él brevemente, destacando la información más reciente.

4. Actualizaciones de los avances

Objetivo: Informar de las actualizaciones de los proyectos fundamentales del círculo.

El orientador lee cada uno de los proyectos en el tablón de proyectos del círculo y pregunta: «¿Alguna actualización?» El titular del proyecto responde «ninguna actualización» o bien cuenta lo que ha cambiado desde la última reunión. Las preguntas están permitidas, pero no el debate.

5. Elaboración del orden del día

Objetivo: Elaborar un orden del día con los encabezamientos de los recordatorios.

Elaborar un orden del día de las tensiones que hay que procesar; una o dos palabras por punto, sin debate.

6. Priorización de asuntos

Objetivo: Repasar todos los puntos del orden del día en el tiempo asignado.

Para resolver cada uno de los elementos del orden del día:

1. El orientador pregunta: «¿Qué es lo que necesitas?»
2. Si es necesario, el titular del elemento del orden del día involucra a los demás.
3. Capturar cualquier acción siguiente o proyecto solicitado y aceptado.
4. El orientador pregunta: «¿Conseguiste lo que necesitabas?»

7. Ronda de clausura

Objetivo: Extraer todo lo aprendido en la reunión.

Cada persona puede expresar una reflexión de clausura sobre la reunión; sin debate.

INFORMACIÓN VISIBLE

Otro secreto para lograr unas operaciones eficaces en la holacracia es la creación de un espacio común en el que se puedan mostrar y revisar con facilidad los proyectos, las listas de control y los criterios de evaluación pertinentes. A esto lo podemos denominar sistema de gestión visual. Podría tratarse de una pared o un simple tablón de corcho o de un espacio virtual, como pueda ser una página de la Intranet, una hoja de cálculo común o una representación en una aplicación de la Red que suministre una función de seguimiento de proyectos.

LISTA DE CONTROL

☐ Copia de seguridad de la página web y base de datos
(Gestor página web, semanalmente)
☐ Pagar facturas
(Contabilidad, mensualmente)
☐ Lista de envíos de correo electrónico
(Mercadotecnia, mensualmente)

CRITERIOS DE EVALUACIÓN

	MARZO	ABRIL	MAYO
VISITAS PÁGINA WEB Gestor página web	8.500	9.000	
COMPONENTES PRODUCIDOS Producción de componentes	912	943	
CAMBIOS EN DISEÑO COMPONENTES Diseño de componentes	7	6	
CASOS DE ASISTENCIA ATENDIDOS Atención al cliente	49	51	
INGRESOS Contabilidad	180.000	150.000	

PROYECTOS

DECLARACIÓN DE IMPUESTOS ARCHIVADOS Y PAGADOS
CONTABILIDAD

LANZAMIENTO NUEVA CAMPAÑA
MERCADOTECNIA

NUEVAS PREGUNTAS FRECUENTES PUBLICADAS
ATENCIÓN AL CLIENTE

COMPONENTE DISEÑADO PARA NUEVO MERCADO
DISEÑO DE COMPONENTES

NUEVO EQUIPO INSTALADO
PRODUCCIÓN COMPONENTES

Repasemos el proceso tal como podría presentarse en una reunión táctica de la empresa Componentes Superiores. Después de la **Ronda de Control,** que utiliza el mismo formato que una reunión de gobernanza, una reunión táctica pasa a una **Revisión de las Listas de Control.** Una lista de control es una relación de acciones recurrentes que los miembros de los equipos intentan llevar a cabo regularmente, y el propósito de esta fase es la de aportar claridad acerca de si cada acción recurrente ha sido terminada la semana o el mes anterior u otra frecuencia deseada. Los elementos de una lista de control pueden ser definidos por el responsable de una función para su propia función o por cualquier otro miembro del círculo que solicite que aquel agregue una de sus acciones recurrentes a su lista de control. Esta, aunque sencilla, es una herramienta eficacísima para confirmar que tales acciones recurrentes han sido llevadas a cabo en cada uno de los períodos, al menos, cualquier acción que alguien pida que se añada a la lista de control. En nuestro ejemplo, el círculo de Mercadotecnia tiene un elemento mensual en la lista de control: «Enviar correo electrónico boletín a la lista de direcciones.» El orientador lee el elemento; Gestor de Página Web dice: «No comprobada», y añade una breve explicación: «Estamos teniendo problemas con el sistema de copias de seguridad de la Web, lo cual ya se está intentando resolver con el proveedor». Otro miembro del círculo comenta: «Siempre tenemos problemas con ese sistema, quizá debiéramos...» En este punto no se permite ningún debate abierto, así que el orientador le interrumpe rápidamente y en su lugar le invita a que plantee un elemento para el orden del día cuando el proceso llegue a la fase de Priorización de Asuntos, si tiene algo que le gustaría discutir. Este paso tiene exclusivamente la finalidad de obtener información de forma rápida, no la de suscitar ni procesar tensiones sobre la información.

A continuación, llega la **Revisión de Criterios de Evaluación**, durante la cual los miembros de los equipos hacen salir a la palestra la información pertinente para dar una idea de la realidad actual. Los criterios de evaluación de los que tienen que informar cada función están determinados por el enlace principal; de algunos se puede informar semanalmente, mientras que a otros se les asigna una periodicidad mensual o incluso trimestral. En cuanto al Círculo General de la Compañía Componentes Superiores, los criterios de evaluación mensuales incluyen el número de visitas a la página web, la cantidad de componentes vendidos, los ingresos, el número de clientes con contratos vigentes de asistencia y la cantidad de casos de asistencia atendidos. Durante esta fase, se permiten las preguntas aclaratorias, así como hacer públicos más datos sobre los criterios de evaluación, aunque cualquier deliberación o toma de medidas que se desee debería reservarse y plantearse como punto del orden del día durante la fase de Priorización de Asuntos. Por ejemplo, cuando Venta de Componentes comunica la cantidad de componentes vendidos, el enlace principal de Mercadotecnia pregunta: «¿Esas ventas han sido fruto de la campaña de correos electrónicos que hicimos?» Aquel responde: «Sí, creo que sí». Esta es una buena pregunta. Pero luego, Contabilidad sugiere que quizá deberíamos considerar la posibilidad de hacer una campaña similar todos los meses, momento en el cual el orientador le interrumpe y le invita a suscitar la cuestión durante la fase de Priorización, si ese es su deseo.

Tras los criterios de evaluación, llega el momento de las **Actualizaciones de los Avances**. En esta fase, el orientador lee en voz alta cada uno de los proyectos que el equipo está siguiendo. Los proyectos de la empresa abarcan «Nuevo Blog Publicado», un proyecto que pertenece a Mercadotenia; «Nuevo Súpercomponente Diseñado», que está en manos de Diseño de Componentes; y «Nuevos clientes formados en el mantenimiento de los componentes», responsabilidad de Atención al Cliente. De uno en uno, el orientador pregunta a quienquiera que sea el titular de cada proyecto. «¿Alguna actualización?» El responsable es invitado entonces a comunicar los cambios desde la última reunión táctica, pero no a dar un informe general de la situación. He advertido que cuando se le pide a alguien un informe general de la situación, el grado de verdadero avance suele ser inversamente proporcional a la duración del discurso, porque contar mucho sobre la situación general de tu proyecto es una manera fantástica de desviar la atención de la falta de avances. Así que esta fase está especialmente enfocada a aquello que *ha cambiado*. Si no ha cambiado nada en un proyecto, el responsable se limita a decir: «Sin actualizaciones». El enlace principal de Mercadotecnia dice que el nuevo diario en línea ya está casi terminado, y el enlace representativo añade que el equipo acaba de terminar la corrección de pruebas de las primeras entradas y que deberían salir pronto. Diseño de Componentes no tiene ninguna actualización sobre el proyecto de diseño del nuevo supercomponente. Atención al Cliente explica que algunos de los nuevos clientes están de vacaciones, y acto seguido empieza a explayarse sobre los planes de formación destinados a ellos, pero el orientador le interrumpe y pregunta: «¿Significa eso que no hay actualizaciones?» Atención al Cliente reconoce: «Sí, no hay actualizaciones, pero necesitamos un sistema mejor para programar las sesiones de formación». El orientador le invita a que plantee eso durante la fase de Priorización. Como ocurre con todas estas fases «introductorias», el objetivo es tan sólo extraer información; se permiten las preguntas aclaratorias a fin de conseguir más datos, pero los intentos de analizar o resolver cualquier cosa se reservan para la Priorización.

Con el preámbulo concluido, el equipo está ya listo para la **Priorización de Asuntos**. Se elabora entonces un orden del día sobre la marcha, donde cada elemento pertenece a la persona que lo planteó. Gestor de Página Web agrega «servicio de copia de seguridad»; el enlace principal de Mercadotecnia añade «campaña de correos electrónicos»; por su parte, Atención al Cliente incorpora «requisitos previos para la formación». Además de cualquier elemento como estos que aparezca durante el preámbulo, generalmente suele haber otros que las personas han tomado nota para sí con antelación y que les gustaría suscitar en la reunión. Contabilidad añade uno: «Descuentos»; el enlace principal de Mercadotecnia otro: «Inactividad de la página web»; y Gestor de Página Web añade otro más: «Descripciones de mercadotecnia». Al igual que en una reunión de gobernanza, un elemento del orden del día no representa un asunto general que abordar, sino una tensión específica que procesar. Y el objetivo no consiste en resolver esa tensión para todos, sino para el miembro del círculo que la planteó; los demás pueden añadir sus propios puntos al orden del día si tienen más tensiones que procesar.

Cada elemento del orden del día es procesado dándole a su titular la facultad de involucrar a los demás hasta que su tensión sea tratada o, al menos, hasta que se asignen una o más acciones siguientes o uno o más proyectos para hacerla avanzar. Esta atención motriz permite que las reuniones tácticas avancen rápida y eficazmente. La cosa da comienzo con el orientador preguntando al titular del elemento del orden del día: «¿Qué es lo que necesitas?» La persona en cuestión tiene libertad entonces para pedir ayuda, mientras el orientador escucha las siguientes acciones o proyectos aceptados y pide al secretario que registre todo lo que resulte.

Daremos un salto adelante hasta el punto del orden del día de Atención al Cliente «requisitos previos para la formación» mientras seguimos con nuestro simulacro de reunión. Cuando el orientador le pregunta qué necesita, el que desempeña esta función, explica: «Tenemos inscritos a una serie de clientes para el curso de formación avanzada en el uso del supercomponente, pero he descubierto que muchos no cumplen el requisito previo de la formación básica que los capacita para esta actividad». El orientador pregunta: «¿Qué es lo que necesitas?» «Necesito la manera de conseguir que esta gente se ponga al día antes del próximo curso de formación», responde Atención al Cliente. «Son unos clientes muy buenos, y ahora que están inscritos, no quiero rechazarlos. Y de cara al futuro, necesito un sistema mejor para controlar que los asistentes cumplan con los requisitos, antes de que puedan inscribirse en un curso de formación.»

Diseño de Componentes responde a la primera necesidad de Atención al Cliente. «No me cuesta nada preparar un vídeo que resuma parte de la información básica del diseño sobre nuestros supercomponentes; si lo siguen con atención, deberían estar más preparados para el curso avanzado.» Atención al Cliente asiente decididamente con la cabeza, así que el orientador le pide al secretario que registre eso como proyecto de Diseño de Componentes: «Edición vídeo diseño básico supercomponentes».

La segunda necesidad de Atención al Cliente plantea mayores complicaciones. Gestor de Página Web dice que en este momento carecemos de los recursos para rediseñar el sistema de inscripción en la Red para el curso de formación e incluir un medio de controlar los requerimientos. «Me parece que, por el momento, tendremos que depender del control manual», sugiere, y Atención al Cliente dice que le gustaría que Gestor de Página Web empezara a hacerlo. Este muestra una expresión de preocupación y abre la boca para oponerse, pero el orientador interviene antes de que tenga oportunidad de hacerlo y le hace una pregunta a Atención al Cliente: «¿Es esa una actividad que te gustaría que Gestor de Página Web hiciera de manera permanente, al menos durante algún tiempo?» Después de que el interrogado confirme que eso es lo que quiere, el orientador prosigue: «Entonces parece que estás buscando una nueva obligación, una actividad permanente que puedas esperar que alguien adopte. Sólo podemos añadir obligaciones en una reunión de gobernanza, así pues, ¿querrías adoptar un acción siguiente para llevar una propuesta a la reunión de gobernanza?» Atención al Cliente asiente con la cabeza, y se le asigna una acción para crear la propuesta de resolver este problema y llevarla a la siguiente reunión de gobernanza.

Gestor de Página Web interviene entonces para decir: «No estoy seguro de que esa obligación debiera recaer en la función que represento, pero podemos resolverlo en la reunión de gobernanza, y, mientras tanto, hasta que se celebre esta, estaré encantado de ayudar a cumplirla». El orientador pregunta a Atención al Cliente si ya tiene lo que necesita, a lo que este responde afirmativamente. Esto significa que estamos listos para pasar al siguiente punto del orden del día.

El siguiente elemento pertenece al enlace principal de Mercadotecnia, «inactividad de la página web», que dice lo siguiente: «La semana pasada la página de Internet estuvo inactiva por mantenimiento justo después de que hubiéramos lanzado nuestra campaña de correos electrónicos». El orientador pregunta: «¿Qué es lo que necesitas?» Aquel responde: «Necesito que el Gestor de Página Web me avise antes de desactivar la página». El orientador pregunta: «¿Eso es algo que estás esperando del Gestor de Página Web?», y, tras recibir un rápido sí, pide al secretario que saque los registros de la gobernanza y mire si en la actualidad existe una obligación de algo parecido en la función del Gestor de Página Web. Los registros no muestran ninguna obligación parecida, así que el orientador continúa: «No existe ninguna obligación de hacer eso, así que no tienes derecho a esperarlo; ¿querrías tener el derecho a esperarlo?» Después de recibir otra respuesta afirmativa, el orientador pide al secretario que registre una acción para el enlace principal de Mercadotecnia a fin de que proponga esa obligación en la próxima reunión de gobernanza.

Esta dará al enlace principal de Mercadotecnia la oportunidad de resolver su problema para siempre, aunque el orientador se da cuenta de que antes es necesario otra cosa: «Aparte de resolver estas expectativas a largo plazo, ¿hay algo más que quisieras tácticamente para ayudarte a tratar tu tensión mientras tanto?» El enlace principal de Mercadotecnia pide al Gestor de Página Web que acometa la acción siguiente de enviarle un calendario actualizado del mantenimiento de la página web previsto. Gestor de Página Web acepta y el secretario registra la acción. «¿Tienes todo lo que necesitas?», pregunta el orientador, que recibe un rápido «Sí» en respuesta.

El siguiente elemento es del Gestor de Página Web»: «Descripciones de Mercadotecnia». Está a punto de poner en marcha una página para un nuevo tipo de componente que se acaba de añadir a la lista de productos de la empresa, aunque no tiene ningún texto descriptivo. «¿Qué es lo que necesitas?», pregunta el orientador. «Necesito una descripción de doscientas palabras del componente y de lo que lo hace único», responde. El enlace representativo de Mercadotecnia aporta una solución: «Acabo de escribir una nueva entrada al blog centrada en ese componente, así que también puedes utilizar parte de ese texto para la página general del componente». Gestor de Página Web queda satisfecho, así que el enlace representativo de Mercadotecnia acomete la acción siguiente de enviarle por correo electrónico la entrada del blog, y la reunión prosigue.

Este simulacro muestra a un equipo que es relativamente nuevo en la holacracia; unos miembros más experimentados con frecuencia se darán cuenta de cuándo sus tensiones remiten a cuestiones de gobernanza, tales como definir nuevas obligaciones, y se centrarán en el trabajo apropiado de la táctica. De todas formas, el proceso representado en el ejemplo da lugar a una reunión bastante dinámica y centrada, incluso para un equipo novato. El énfasis puesto en obtener un resultado sencillo y claro establece las bases de las reuniones tácticas y las hace avanzar. Y el método de plantear las tensiones de una en una, con el único objetivo de satisfacer a la persona que planteó el punto del orden del día, hace que la reunión mantenga el rumbo. La rapidez y la concentración se ven así mejorados, porque las cuestiones de gobernanza son separadas de las necesidades tácticas. Con arreglo a la constitución de la holacracia, la gobernanza sólo puede ser modificada a través de su propio proceso, así que cuando afloran tensiones sobre los patrones generales vigentes, o cuando alguien quiere establecer una nueva expectativa con carácter permanente, un buen orientador siempre sugerirá que la parte interesada realice una acción siguiente para suscitar el asunto en una reunión de gobernanza, donde podrá buscar unos cambios más profundos con la seguridad de que el proceso integrador los abordará con eficacia.

Las reuniones tácticas, como las de gobernanza, son mantenidas en el camino que les trazan las normas de la holacracia por el orientador electo. La función de este es la de atenerse al proceso, mantener la resolución centrada únicamente en la tensión del titular del orden del día con un resultado táctico, y poner de relieve, cuando sea necesario, los registros de gobernanza y las expectativas y autoridades que otorgan. Mientras se procesa un punto del orden del día, un buen orientador se volverá permanentemente hacia el titular del punto preguntando a modo de comprobación: «¿Tienes lo que necesitas?» En cuanto esa persona dice que sí, es el momento de pasar al siguiente elemento. Si alguien tiene un nuevo asunto surgido a raíz de la discusión pero que no ha sido tratado, puede agregar un punto al orden del día y conseguir la misma atención en su tensión cuando le llegue el turno de ser procesado.

En cuanto la reunión ha terminado, el secretario hace partícipe a todos los miembros del círculo de la lista de proyectos y acciones siguientes capturados, bien a través de un correo electrónico, bien registrándolas directamente en una herramienta que envíe de manera automática las notificaciones.

**CONSEJOS PARA FACIITAR LA PRIORIZACIÓN
DE LA REUNIÓN TÁCTICA**

Si...

... el análisis o la discusión parece exagerado
Pregunta: «*¿Qué acciones siguientes son necesarias al respecto?*»
Pregunta: «*Así pues, ¿qué es lo que necesitas?*» *(al titular del punto del orden del día)*

... la gente está buscando consenso o aprobación
Pregunta: «*¿Qué función tiene la autoridad para tomar la decisión en esto?*»
Pregunta: «*¿Necesitamos aclarar las autoridades en la gobernanza?*»

... se alude a los «jefes» por su nombre
Pregunta: «*¿Qué función estás desempeñando aquí?*»

... un patrón recurrente o más general tiene que cambiarse
Pregunta: «*¿Es este un patrón para abordarse en la gobernanza?*»

... alguien intenta establecer una nueva expectativa
Pregunta: ¿*Esto es algo que te gustaría esperar permanentemente?*» *Y de ser así, «¿querrías realizar una acción para llevarla a la reunión de gobernanza?*»

Se acabó el qué y el cuándo

Una última e importante observación sobre las operaciones y la resolución de los asuntos: en lo cotidiano, la holacracia vuelve obsoleto el hábito de asumir compromisos sobre cuándo cumplirás un proyecto o acción determinada. En las reuniones tácticas, por ejemplo, recopilamos las acciones siguientes, pero no les asignamos un compromiso acerca del plazo. ¿Por qué? Por más que en el mundo empresarial actual se recomiende de forma general la práctica de establecer fechas límite, permíteme que aporte un punto de vista opuesto: comprometerse con los plazos plantea importantes inconvenientes, y utilizarlos hace sombra a un enfoque más dinámico y realista.

El supuesto beneficio de pedir u ofrecer rutinariamente «un qué y un cuándo» al definir las acciones es simple y directo: aumenta la confianza de los demás en que lo haremos realmente, nos anima a reconocer conscientemente nuestros compromisos y genera confianza con el paso del tiempo al demostrar al resto que podemos mantener esos compromisos. Suena genial, y de hecho es inmensamente mejor que un entorno donde nadie puede contar con nada, porque todos se limitan a trabajar en lo que casualmente capta su atención en un momento dado. Así que no estoy sugiriendo que rechaces los qué y cuándo y retrocedas al caos.

Con la holacracia implantada, aceptar una acción siguiente en una de tus funciones, sea en una reunión táctica o de otra manera, es por definición aceptar el compromiso de 1) hacer un seguimiento consciente de la acción; 2) revisar conscientemente la acción junto con otras que puedas asumir, mientras sopesas permanentemente adónde dirigir tu atención y energía, y 3) realizar conscientemente la acción tan pronto como se convierta en el elemento más importante entre tus posibles acciones, teniendo en cuenta las circunstancias. La selección del trabajo en función de los compromisos respecto a los plazos a veces no concuerda con las exigencias de la constitución, y estas a veces prevalecen sobre cualquier compromiso de una fecha límite que pudieras asumir: podrías tener que seleccionar consciente y permanentemente una utilización más valiosa de tu atención y energía, y como consecuencia pasar por alto la promesa de una fecha límite. La constitución establece una exigencia más alta en cuanto a la priorización consciente que el mero hecho de asumir rápidos compromisos sobre fechas previstas y luego impulsar tu trabajo en función de ellos; te permite que utilices plazos externos como fechas clave cuando priorizas el trabajo, pero también requiere tu consideración continua y consciente en función del contexto y del resto de tus responsabilidades.

Por decirlo de otra manera, a veces la realidad reduce a escombros nuestros planes mejor trazados. E incluso cuando conseguimos controlar temporalmente los caprichos de la realidad, el enfoque del qué y el cuándo sigue entrañando costes y riesgos importantes. Pongamos que estoy en una reunión y acepto llevar a cabo una acción. Entonces, me preguntas que cuándo la habré terminado; lo pienso durante un segundo, y respondo: «El martes», lo cual te deja satisfecho, y por consiguiente tenemos un contrato social provisional. He aquí el problema: cuando acepté terminar la acción para el martes, en realidad, y por estupendo que eso fuera, no produje ningún día con más horas para hacerla. Por consiguiente, ahora tengo que encajar esa acción en una lista de otras posibles cosas que podría estar haciendo con esas horas, de manera que tendré que restarle prioridad a otra.

Esto es, cuando asumí frente a ti el compromiso de un plazo, tomé una decisión acerca de las prioridades que afectaba al calendario de muchas otras acciones; y lo hice sin considerar esas acciones, y, sin duda, sin sopesar las prioridades relativas de todo aquello de lo que soy responsable. Mi compromiso consciente conllevaba una priorización inconsciente. Y hay más: también he introducido el nuevo riesgo de que acabaré trabajando en algo para cumplir con un compromiso —a menudo artificial—, independientemente de si eso es lo más importante que tengo que hacer en ese momento, teniendo en cuenta el propósito general de la organización.

Con el qué y el cuándo revoloteando por ahí, es fácil acabar persiguiendo compromisos de manera inconsciente, antes que seleccionar, y trabajar en, la acción más importante en cada momento. Asumir ante alguien el compromiso de un plazo en relación a una acción no convierte a esta en la cosa más importante que tengas que hacer; a veces tiene sentido abandonar una labor en aras de resolver otra más importante que no habías previsto cuando contrajiste el compromiso original.

Está claro que puedes gestionarla volviendo a fijar las expectativas, pero eso te dará otra cosa más que gestionar, lo que incrementa el coste de asumir el compromiso de una fecha límite; compromiso que aumenta la rigidez y cuyo mantenimiento es una fuente constante de gasto de energía. Otro coste insidioso más es el peso de un plazo inminente: esto añade a la ecuación un factor de estrés psíquico, y nos tienta a dejarnos atrapar por nuestros «deberíamos» y combatir la realidad. A veces tratamos de sacar de donde sea más horas al día para hacer frente al estrés que nos provoca una fecha prevista, pero disminuir nuestro tan necesario tiempo libre puede resultar bastante agotador y a largo plazo es insostenible.

La estrategia de los plazos contribuye a que finjamos que la realidad es más predecible y controlable de lo que en realidad es, un autoengaño que se sitúa entre los más reconfortantes a los que nos entregamos los humanos. Y estos son los cimientos sobre los que los plazos erigen la confianza: atraen a los demás al engaño para que, también ellos, puedan relajarse con una falsa sensación de seguridad. Y, hasta cierto punto, funciona, aunque se trata de unos cimientos tremendamente inestables.

No estoy sugiriendo que nos deshagamos de esta clase de compromisos sin sustituirlos por algo eficaz. Pero cuando implantamos una manera eficaz de organizar nuestras vidas y trabajos —una que nos permita conservar de manera fiable todo lo que podemos hacer, y tener siempre la seguridad de que nos estamos dedicando a lo más importante que podríamos estar haciendo en cada momento dado, plenamente conscientes y sin pasar nada por alto— nos podemos liberar de la ilusión del control.

Una vez que tenemos implantados unos buenos sistemas de organización individual que sustenten la conciencia y el flujo, ya podemos generar la confianza ofreciendo a los demás transparencia, previsiones fundadas (no compromisos) y una manera de influir en nuestras prioridades. En lugar de ofrecer a nuestros colegas la ilusión de la predictibilidad (a menudo mientras apenas somos capaces de conseguir que no se nos venga todo abajo), los involucramos en nuestro proceso de afrontar implacablemente la realidad a cada momento, y siempre dedicándonos en primer lugar a lo más importante.

Así las cosas, ¿qué pasa con los plazos externos reales sobre los que *sí* tienes que hacer previsiones? El mundo está lleno de esta clase de plazos, y la holacracia no cambiará ese hecho por arte de magia. Pero sí cambiará tu forma de gestionar el trabajo en función de esos plazos y de responsabilizar a los demás en lo que les competa para ayudarte a cumplirlos. En virtud de las normas de la holacracia, no puedes responsabilizar a alguien del compromiso de un plazo futuro ni siquiera si lo han asumido delante de ti, así que cumplir con tus propios plazos exigirá más responsabilidad e implicación por tu parte. Cuando te enfrentas a la presión del tiempo, en lugar de pedir a los demás compromisos de esta naturaleza y esperar que los cumplan, puedes preguntar e influir en las decisiones que están tomando mientras se esfuerzan en lograr los resultados que necesitas, como, por ejemplo, afectando a su manera de priorizar las acciones que te preocupan. Y la holacracia proporciona muchas vías para que influyas en esas decisiones y prioridades; por ejemplo, puedes echar mano de los importantes deberes descritos previamente en este capítulo. El deber de transparencia puede ayudarte a conseguir información fundamental y controlar el avance; el deber de procesar podría ayudarte a solicitar determinadas acciones o proyectos fundamentales; y el deber de priorización implica que puedes conseguir que un enlace principal se involucre en las cuestiones de priorización y esperar que los demás se ajusten a las decisiones de aquel.

Por último, estas normas y los demás procesos de la holacracia te ayudarán a asumir la responsabilidad y control de tus necesidades cuando se acerque una fecha límite, y a involucrarte antes con tus colegas, como colaborador, que no después, como juez. Este cambio pone de relieve también un patrón más general en la holacracia: en lugar de hacer responsable a la gente de los resultados concretos, que pueden verse afectados por muchas cosas que escapan a su control, la holacracia suele hacer responsable a la gente de las decisiones que toma mientras se esfuerza en alcanzar tales resultados, porque nuestras decisiones sí *están* bajo nuestro control. Incluso más allá de esto, la holacracia te facilita más maneras precoces de involucrarte e influir en esas decisiones, antes de que tengas que hacer responsable a alguien por tomar las que no debe.

«¡La holacracia gana!»

Esta combinación de obligación individual, transparencia del equipo y reuniones tácticas dinámicas y flexibles ayuda a generar operaciones productivas, adaptables y eficaces. Uno de nuestros clientes nos envió recientemente un mensaje que había recibido después de una reunión táctica de la holacracia. Simplemente decía: «33 puntos del orden del día en 55 minutos. ¡La holacracia gana!» Oigo cosas así de muchos practicantes de la holacracia. La gente descubre que puede terminar el orden del día más deprisa de lo que hasta entonces creían factible, con una compresión y resolución más reales de las que solían conseguir en procesos mucho más lentos. Si esto no te sucede a ti, entonces siempre puedes volver a la gobernanza para tratar las tensiones que quiera que se interpongan en tu camino y ralentizan tu trabajo, hasta que tengas la autoridad y la libertad que necesitas para resolver los asuntos... con rapidez.

LA FACILITACIÓN DE LA GOBERNANZA

«Busca la libertad y te convertirás en cautivo de tus deseos.
Busca la disciplina y encontraras tu libertad.»

—FRANK HERBERT, *Chapterhouse: Dune*

Ahora que hemos recorrido los fundamentos de los procesos de las reuniones de gobernanza con un sencillo ejemplo, y examinado la forma en que los resultados de la gobernanza se convierten en las operaciones cotidianas, es el momento de abordar algunas de las dinámicas más complejas que pueden presentarse. Concretamente, examinaremos la forma de tratar las conductas perturbadoras de los individuos del círculo y de comprobar la validez de las objeciones. Enfocaremos estas cuestiones desde el punto de vista del orientador, de manera que esta sección puede servir tanto como una formación avanzada para facilitar las reuniones de gobernanza como un ejemplo más detallado de lo que es la gobernanza en una empresa regida por la holacracia y su forma de funcionar. La capacidad del orientador para manejar eficazmente estas situaciones más complejas es esencial a la hora de conseguir una práctica satisfactoria de la holacracia, sobre todo cuando los demás están todavía aprendiendo en qué consiste el juego. Aprovechando nuestra anterior analogía, diríamos que el orientador es como el árbitro de este nuevo deporte, y cumple un papel imparcial y neutral concebido para proteger el proceso y hacer cumplir las reglas del juego.

Si ya eres un consumado orientador de procesos o reuniones o un formador, te aviso: esa experiencia es improbable que te haya preparado para desempeñar esta función; de hecho, suele entorpecerla. Un buen orientador dentro de una estructura de poder organizativa convencional aprende a ser respetuoso con todas las personas que integran un grupo y a apoyar y presentar sus diferentes puntos de vista... para contribuir a darles una voz. En cierto sentido, el orientador tradicional se convierte en un líder heroico o una figura paterna mientras dura la reunión. En la holacracia, el papel de un orientador es muy diferente; tanto, que puede parecer ilógico. Tu responsabilidad no consiste en apoyar o cuidar a las personas; consiste en proteger el *proceso*, que a su vez permite que estas cuiden de sí mismas. La función del orientador requiere que anules tu instinto de ser educado o «amable» y que cortes a la gente cuando hable fuera de turno; no inmediatamente después de que hayan manifestado sus opiniones, sino incluso cuando empiezan a tomar aire para hacerlo. ¿Te parece grosero? Lo es, pero por una razón. El proceso protege la capacidad del proponente para abordar una tensión, y garantiza que todos los demás puedan evitar que los problemas se creen en otro lugar de resultas de ello. Violar el proceso viola el espacio del proponente para abordar una tensión con seguridad, y es labor del orientador garantizar que esto no suceda. Es posible que las reglas parezcan restrictivas o excesivamente rígidas, pero producen unos resultados liberadores: crean un espacio sagrado que nos da libertad a cada uno de nosotros para actuar como un sensor para la organización, sin que interfiera ningún drama.

Bien hecho, el proceso parece profundamente impersonal. Como orientador, no diriges la reunión hacia unos resultados determinados, sino más bien conservas el espacio para que el propio proceso cumpla su función. No intentas provocar contribuciones ni tratas de alcanzar un acuerdo. Mientras el proceso sea respetado, te da igual cómo se sienta cada uno, al menos en tu papel de orientador. Eres neutral. Cuando alguien viola el proceso hablando sin que le toque, simplemente detienes la conducta extemporánea sin emoción ni crítica, y lo haces de inmediato, sin esperar a que se produzca una pausa cómoda. Por lo que a ti respecta, el proceso es lo único que importa, y este se ocupará de todo lo demás. Como he dicho antes, tu función es parecida a la de un árbitro en un campo de juego: estás al servicio del juego, no de los jugadores.

Cuando reprimes una conducta que se sale del proceso, no lo haces porque estés enfadado con el individuo más de lo que un árbitro lo está con un jugador concreto cuando pita una falta. Simplemente está protegiendo el partido, y tú estás protegiendo al proceso.

Facilitar este proceso impersonal puede ser profundamente transformador para todos los involucrados, y conserva el espacio para permitir que la estructura de la organización esté en permanente evolución. En cuanto la gente experimenta la fuerza de este proceso, a la mayoría le resulta difícil, cuando no imposible, volver de nuevo a un planteamiento más personal tendente al consenso. Ahora bien, aprender a conseguir eso puede ser muy doloroso, porque los viejos y cómodos hábitos deben dejar paso a los nuevos y problemáticos. Cuando actúo como formador en holacracia y orientador inicial de una organización, mi labor consiste en hacer que un equipo se atenga a las nuevas reglas, aun cuando al principio —como no es infrecuente— disgusten a algunos de sus miembros. Esta antipatía se puede volver en mi contra como aquel que somete al equipo a esta nueva manera de reunión y de tomar decisiones, y ocasionalmente me convierto en el blanco de las iras. Por suerte, el enfado tiene una vida bastante corta; las personas que otrora despreciaron mi presencia es muy posible que me estén ofreciendo abrazos y gratitud al cabo de unos pocos meses de adquirir el compromiso, a veces hasta con lágrimas en los ojos. Este cambio suele llegar después de que experimenten el impacto de esta nueva manera de procesar las tensiones y tomar decisiones juntos y se den cuenta de hasta qué punto las nuevas normas fueron esenciales para que se produjera esa transformación, aunque al principio les resultara incómodo asumirlas.

¿Qué es válido para el proceso?

Hasta cierto punto, la naturaleza «impersonal» del proceso de gobernanza de la holacracia es debida, en primer lugar, a la clase de tensiones que abordamos en ella, y al porqué de que las abordemos. Para que una propuesta sea válida para el proceso en una reunión de gobernanza, la tensión que se oculta detrás tiene que estar limitando de alguna manera las funciones del proponente, y el objetivo ha de consistir en eliminar ese límite en beneficio de la función. Una propuesta puede *modificar* otras funciones, siempre que la *razón* sea ayudar a una de las funciones del proponente, quizá haciendo más fácil ejecutar una obligación o bien aprovechando una oportunidad para expresar mejor el propósito de la función. A fin de imponer esta restricción, el orientador puede rechazar una propuesta si, mientras se procesa, el proponente no puede aportar un ejemplo concreto de cómo aquella habría mejorado su capacidad para expresar el propósito o las obligaciones de una de sus funciones, dada una situación real encarada en el pasado o en el presente. Una pequeña salvedad a esto es que puedes proponer algo para ayudar a otra función que no desempeñes tú, siempre que quien quiera que la desempeñe te haya autorizado explícitamente por adelantado para hablar en su nombre.

Esta norma ignora en última instancia dos clases de propuestas que pueden antojarse deseables pero que en realidad sólo entorpecen el proceso. Las primeras son meros intentos infundados o inconsistentes de mejorarlo «todo», a menudo incluyendo cosas que de entrada no son obligación del proponente mejorar. Esta tendencia de cierta gente servicial y rica en ideas suele servir para desviar la atención de la realización del trabajo, al retocar y sobredimensionar la gobernanza que la experiencia no ha demostrado realmente que necesite mejorarse todavía. Y, sin duda, eso también enfada a aquellos que desempeñan las funciones apropiadas si no desean tal «ayuda».

El segundo grupo de propuestas de las que nos protege esta norma son aquellas que intentan servir *personalmente* al proponente, y no a la función que esté representando para la organización. Por ejemplo, las propuestas sobre mejoras en la política de vacaciones, los sistemas de retribución o las políticas de viajes pueden entrar en esta categoría, *a menos* que el proponente desempeñe una función cuyo propósito u obligación se vea limitada realmente por ellas. Aunque sea importante, como sucede en cualquier relación, que resolvamos la manera de satisfacer nuestras necesidades personales, a este respecto existen unos límites útiles y adecuados. Si queremos que se den unas relaciones saludables entre la organización y sus representantes, no queremos unos responsables de las funciones que se apropien del espacio y los procesos internos de la organización para satisfacer únicamente sus necesidades personales. La labor del responsable de una función en una organización regida por la holacracia consiste en ayudar a criar a la organización, no al revés; somos los representantes o fideicomisarios de nuestras funciones y de la propia organización, y eso nos obliga a encontrar una manera más adecuada para tratar nuestras necesidades personales y a no violar el proceso de gobernanza interno de la organización con ellas. Podríamos renegociar un contrato laboral (o equivalente) con la función pertinente para llegar a ciertos acuerdos, o podríamos proponer un cambio deseable para una función que esté explícitamente obligada a servir de alguna manera a las personas de la organización. Hay muchas maneras de satisfacer nuestras necesidades personales en nuestra relación con una organización, pero la gobernanza no es una de ellas; esta se encarga del proceso de las tensiones en aras de nuestras funciones, las cuales, en última instancia, están al servicio del propósito de la organización.

Facilitación de la mecánica

Para examinar más a fondo la facilitación de la mecánica del proceso de gobernanza, volvamos al Círculo General de la Compañía (CGC) en Componentes Superiores. Imagina que ahora eres el orientador electo del círculo. Aunque no sea tu intención desempeñar alguna vez la función de orientador, sígueme la corriente, porque entender los fundamentos de la orientación te convertirá en un mejor profesional de la holacracia independientemente de la función y hará apreciar mejor las razones que inspiran sus normas.

En la reunión de gobernanza del CGC has completado la ronda de control y ahora invitas a los miembros del círculo a que añadan sus puntos al orden del día. En esta etapa no te preocupes de si las propuestas son válidas; eso suele hacerse evidente durante la fase de las preguntas aclaratorias o de la integración. Cuando elabores el orden del día, da por supuesto que todos los elementos son válidos. Una vez completado el orden del día, ya estás en disposición de empezar a procesar las tensiones.

Si hay una cosa que como orientador tienes que recordar cuando proceses los puntos del orden del día, es esta: *una tensión cada vez*. ¿Alguna vez has estado en una reunión en la que una persona plantea un asunto, y a continuación todos los demás empiezan a intentar resolver sus propias tensiones relacionadas con ese asunto? Antes de que te des cuenta, te encuentras con una lucha por conseguir la atención colectiva en la que todo el mundo trata de resolver sus propios asuntos y con una larga y penosa reunión que realmente acaba sin resolver algo con mucha eficacia. Así que cíñete a lo de *una tensión cada vez.*

Por lo que hace a este ejemplo, nos centraremos en una tensión concreta que plantea la función Diseño de Componentes. Así que abres el Proceso de Toma de Decisiones Integrador y empiezas con el primer paso, «Propuesta actual». El responsable de la función Diseño de Componentes empieza explicando la tensión: «Mercadotecnia no para de hacer publicidad prometiendo cosas que nuestros componentes no pueden cumplir», se queja. El enlace principal de Mercadotecnia abre la boca para responder, y tú le cortas en cuanto ves que se delata tomando aire. Este no es el momento para las reacciones ni, de hecho, para que hable nadie que no sea Diseño de Componentes, que es quien ha planteado la tensión. Tú le preguntas si puede hacer una propuesta terminando la frase: «Propongo que...» o si necesita ayuda para elaborar una. Diseño de Componentes termina tu frase proponiendo que la actual obligación del círculo de Mercadotecnia de «promocionar la empresa y sus componentes» debería ampliarse para incluir «de acuerdo con los objetivos de utilización definidos para cada tipo de componentes».

Acto seguido, invitas a que se planteen las preguntas aclaratorias. El enlace principal de Mercadotecnia interviene de inmediato: «¿Has pensado de dónde van a provenir exactamente esos «objetivos de utilización? Estos nunca están claros y...» Rápidamente le vuelves a interrumpir, porque es evidente por su tono y su forma de formular la cuestión que no se trata simplemente de una pregunta clarificadora, sino más bien de una reacción disfrazada. Como orientador, tu obligación es estar preparado para esta clase de situaciones frecuentes. Si el que hace la pregunta parece como si intentara transmitir un punto de vista del tipo que sea al proponente, deberías interrumpirle e invitarle a que se guarde sus ideas hasta el turno de reacciones. Si la persona en cuestión está dando una opinión o sólo una información útil, también se considera una reacción si lo que está buscando es transmitir puntos de vista *al* proponente, en lugar de obtenerlos *de* este.

Entonces otro miembro del círculo plantea casi la misma pregunta, pero con una intención sincera de conseguir una aclaración: «¿De dónde tienes previsto que provengan los objetivos de utilización?» Esta pregunta sí que es válida, aunque el proponente no está obligado a tener ni dar una respuesta, así que puede responder sin más: «Sin especificar». O bien puede dar una respuesta. En este caso, dice: «Eso lo decidiremos en nuestras reuniones de diseño, y todo el que desee asistir es bienvenido».

Ahora, no planteándose más preguntas aclaratorias, es el momento para la ronda de reacciones, así que prosigues invitando a los participantes a que planteen sus reacciones de uno en uno. Cuando le llegue el turno, tu colega que desempeña el enlace principal de Mercadotecnia es libre de decir en voz alta cuáles son sus reacciones a la propuesta, si las tiene. Como orientador, te trae sin cuidado el contenido o el tono de las reacciones, aunque tienes que asegurarte de que van dirigidas al espacio y no directamente a hacer participar al proponente en un diálogo. También tienes que asegurarte de que hable sólo una persona cada vez y que cada uno lo haga cuando le corresponda, y de que no permites ni charlas incidentales ni respuestas de ningún tipo a las reacciones. No muerdas el anzuelo de interrumpir e informar sobre las dinámicas en el seno del grupo, ni intentes defender a ninguna persona o punto de vista concreto. Mantén tu postura de neutralidad absoluta, dejando simplemente que cada persona cuente su reacción, de una en una, y luego sigue adelante.

Una vez que todas las reacciones han sido expresadas, llega el momento para el paso de Modificación y Aclaración, en el que le preguntas al proponente si le gustaría aclarar algo o realizar modificaciones a su proyecto. Llegados a este punto, los proponentes serán proclives a sentirse presionados a incorporar todo lo que han oído a fin de atender los puntos de vista de sus colegas. Pero tal cosa no es necesaria en este proceso; los colegas pueden plantear sus propios puntos para el orden del día si quieren procesar sus tensiones. Así pues, asegúrate de que el proponente no pierda de vista su propia tensión: ayúdale a centrarse en ella, invitándole a «ser egoísta» e ignorar todo lo que se haya dicho si, según su propio punto de vista, no ayuda a la tensión específica que está tratando de abordar. Entonces, el proponente añade un comentario aclaratorio acompañándolo de algunos antecedentes que influyen en su propuesta, y dice que está contento tal como está la propuesta en este momento, así que no realiza ninguna modificación al respecto.

Evaluación de las objeciones

A continuación, preguntas a cada una de las personas por turno: «¿Ves alguna razón por la que adoptar esta propuesta resultaría perjudicial o nos haría retroceder? Esta es una definición breve de lo que es una «objeción». Invitas a cada uno a que responda simplemente: «Objeción» o «Sin objeción», y en el primer caso a que exprese la razón de por qué adoptar la propuesta causaría algún perjuicio o haría retroceder al círculo.

Una vez más, recuerda que lo que se está protegiendo de cualquier «daño» es la capacidad del círculo para expresar su propósito y obligaciones, no las preferencias e ideas personales de sus miembros. Así pues, una objeción tiene que estar relacionada con una función particular que desempeñe el objetor, así como describir la manera en que la propuesta disminuiría la capacidad de esa función para expresar su propósito o representar sus obligaciones. Esto evita que la organización se vea afectada en exceso por los sentimientos y opiniones individuales que no sean pertinentes al trabajo del objetor. Debidamente facilitado, el proceso ayuda a la gente a meterse en un espacio más impersonal de la gobernanza organizativa. El Turno de Reacciones generó la oportunidad de reconocer y admitir las emociones que estuvieran surgiendo, fueran cuales fuesen estas, pero cuando llegas al Turno de Objeciones, la atención se ha desplazado más allá de esas emociones. Dicho lo cual, tú sí *puedes* utilizar tus emociones como pruebas de por qué una propuesta puede realmente provocar un daño a nuestras funciones. De este modo, las emociones personales se convierten en fuente de una información valiosa, aunque en sí mismas no son criterios válidos para la toma de decisiones. No se acalla la voz de nadie, y, sin embargo, no se permite que los egos impongan su ley.

El proceso de objeción puede parecer sencillo, pero no lo es. Este es un momento en el que tu función como orientador deviene en esencial, porque tu misión consiste en evaluar las objeciones planteadas para descubrir si cumplen con los criterios de validez. La constitución de la holacracia proporciona cuatro de tales criterios. Iremos desvelando cada uno valiéndonos de sendos ejemplos, de manera que puedas ver cómo funcionan en la práctica.

Una objeción válida alega que se crearía una nueva tensión si se adopta la propuesta; *todo* lo que se expone a continuación debe ser verdad:

1. Si la objeción fuera desestimada, la propuesta no sólo dañaría al círculo, sino que no lo mejoraría (esto es, disminuiría la actual capacidad del círculo para expresar su propósito); y
2. la objeción se crearía específicamente aprobando la propuesta, y, por tanto, no existiría si la propuesta fuera rechazada (esto es, no es una tensión que exista previamente); y
3. la objeción o surge a partir de una información conocida o, si es una predicción, no habría oportunidad de adaptarse antes de que se pudiera ocasionar un daño importante (esto es, no es bastante seguro aprobar la propuesta y adaptarse más tarde si es necesario); y
4. si la propuesta ya ha sido aprobada, sería válido que el objetor procesara la objeción como una propuesta (esto es, la propuesta limita una de las funciones del objetor).

Como alternativa, la constitución también permite la objeción de que la propuesta es inconstitucional (por ejemplo: «No es un resultado de gobernanza válido»), aunque la objeción no cumpla los cuatro criterios.

Aparte de este caso especial, evalúas las objeciones con arreglo a los criterios simplemente haciendo preguntas. Acostumbrarse a este proceso lleva algún tiempo, pero una vez que profundizas en el conocimiento de los criterios, se desarrollará de forma bastante natural y sabrás intuitivamente qué es lo que tienes que preguntar para evaluar las objeciones. En el ínterin, cuando surja una objeción, limítate a leer las preguntas del cuadro de una en una. Tal vez te parezca una tontería, pero da unos resultados bastante buenos y contribuirá a que todo el equipo aprenda.

Por el momento, sigamos con nuestro ejemplo para ver la manera de evaluar las objeciones que pudiera producirse durante un turno de objeciones. La propuesta que está sobre la mesa es la de ampliar la obligación actual del círculo de Mercadotecnia de «promover la empresa y sus componentes» para que incluya la exigencia de que la promoción esté «en consonancia con los objetivos de utilización definidos para cada tipo de componente». La primera objeción la plantea el Gestor de Página Web: «El contenido promocional redactado por Mercadotecnia ha aportado mucho a nuestros anuncios impresos, pero ni el

Evaluación de las Objecciones

Una objeción es válida si...

A) La propuesta degradaría la capacidad del círculo.

¿Es esa una razón para que esto provoque un daño o nos haga retroceder? (¿Y cómo?)	o	¿Es una idea mejor o algo distinto que también debiéramos considerar?

B) La propuesta, si se aprueba, introduciría una nueva tensión.

¿Se crearía ese problema por adoptar esta propuesta? (¿Y cómo?)	o	¿Es ya un problema, aunque no aprobemos esta propuesta?

C) La objeción o se basa en una información ya conocida o, si es una predicción, no habría oportunidad de adaptarse antes de que se pudiera ocasionar un daño importante.

¿Eso se basa en una información conocida en este momento?	o	¿Prevés que podría suceder?

Y si es una previsión: ¿existe alguna razón para que no nos podamos adaptar una vez consigamos más información?	o	¿Es bastante seguro intentarlo, sabiendo que podemos revisarla en cualquier momento?

D) La objeción sería una tensión válida para que tu función la procesara.

¿Limita alguna de tus funciones? (¿Cuál de ellas?)	o	¿Estás intentando ayudar a otra función o al círculo?

O si... E) La propuesta infringe las normas de la constitución de la holacracia:

Por ejemplo: «No es un resultado de gobernanza válido», «Está fuera de la autoridad del círculo»

 Objeción
Válida

estilo ni la extensión son los adecuados para utilizar en nuestra página web, así que nosotros también necesitamos que Mercadotecnia se ajuste al estilo que necesitamos para el contenido de la Red». Esta objeción podría considerarse contraria al criterio A expuesto anteriormente. Como orientador, podrías preguntar: «¿Es esta una razón para que la propuesta que tenemos planteada ahora provoque un perjuicio o nos haga retroceder, o estás percibiendo otra cosa que también necesitamos arreglar de verdad?» Advierte la manera en que está formulada esta pregunta: al ofrecer al objetor unas opciones excluyentes, le ayudas a distinguir entre una objeción y una tensión diferente. Si sólo le hubieras hecho la primera parte de la pregunta, probablemente habrías obtenido un simple sí, lo cual no habría ayudado a ninguna de las partes a discernir la validez de la objeción planteada. Pero teniendo en cuenta las dos opciones, Gestor de Página Web responde: «Lo segundo», y de esta manera te ha dicho que su objeción no es válida, porque no se trata de una razón para que aprobar esta propuesta provocase algún daño o hiciera retroceder al círculo. Así que le explicas esto, y en su lugar le invitas a que añada esta tensión al orden del día, por si quisiera procesarla de manera separada. (Se puede añadir un nuevo punto al orden del día tan pronto como el que se esté tratando se haya terminado.)

En algunos casos, es posible que esta pregunta no anule la objeción: tal vez exista alguna razón para que la propuesta causara un daño. Entonces, Gestor de Página Web puede decir: «Sí, provocaría un daño, porque ya hay una gran cantidad de contenido atrasado que no puedo utilizar para la página, y esto lo aumentaría». Si es así, podrías intentar hacer otra pregunta para realizar la evaluación de acuerdo con el criterio B expuesto más arriba. Algo así, quizá: «Bueno, si esta propuesta fuera rechazada completamente y no se aprobara, ¿seguirías percibiendo la tensión que has planteado como una objeción?» Si el objetor dice: «¡Ay, sí, sin duda que seguiría percibiéndola!», entonces te ha dejado claro que la objeción no es válida, porque no se ha creado específicamente ninguna nueva tensión por esta propuesta. Antes al contrario, te ha revelado que en el sistema ya existe una tensión aparte. Dicha objeción puede ser perfectamente válida como un elemento independiente del orden del día, pero no lo es como objeción a la propuesta que hay ahora mismo encima de la mesa. En cuanto a este problema potencial, al menos, aprobar la propuesta no nos haría *retroceder*, simplemente tampoco conseguiría hacernos avanzar en la resolución de dicha cuestión. Pero la única tensión que estamos tratando de abordar para avanzar es la del proponente; nada más.

La siguiente objeción parece razonable: «Es posible que Mercadotecnia no comprenda debidamente los objetivos de utilización para transmitirlos con eficacia». Sin embargo, una vez más, en el lenguaje empleado se esconde una pista; en este caso, la expresión «es posible». Eso te indica, como orientador, que la objeción puede ser una predicción, más que algo fundado en los conocimientos actuales. Tienes que comprobarla con el criterio C expuesto anteriormente, así que preguntas: «¿Se basa eso en la información ya conocida o estás previendo lo que podría suceder?» El objetor te dice que está haciendo una predicción, lo cual puede ser aceptable, así que le haces una pregunta complementaria: «¿Hay alguna razón para que no la podamos aprobar más tarde, una vez que tengamos más información, o es bastante seguro probarla, sabiendo que podemos revisarla en cualquier momento?» Por supuesto, el objetor te dirá que es bastante seguro probarla, y de esta manera habrá demostrado que su objeción no cumple con el mínimo necesario para ser válida.

A continuación, se presenta otra objeción sospechosa, esta planteada por el enlace principal del círculo de Producción de Componentes, que siempre es de gran ayuda: «Objeción. Me preocupa que Mercadotecnia haga frente a tantas peticiones diferentes, ya que les resultará imposible gestionarlas». Esta objeción tienes que comprobarla según el criterio D: «¿La propuesta limitaría o restringiría algunas de tus funciones, o está intentando ayudar a otra función o al círculo en general?» El enlace principal admite que esto no es de interés para sus funciones; sólo está tratando de ayudar. Así que te acaba de decir que esta no es una objeción válida, aunque podría haberlo sido si hubiera sido planteada por alguien que representara a Mercadotecnia, y si hubiera cumplido con los demás criterios.

Estos ejemplos demuestran la manera de utilizar los criterios para probar las objeciones mediante las preguntas. Continuemos con el turno de objeciones.

Alguien dice: «No creo que esto sea necesario; las descripciones de Mercadotecnia están bien como están». Tal objeción no cumple con el criterio A; puede que el objetor crea que el cambio no es necesario, pero si no puede alegar algún daño que se derivaría de la aprobación de la propuesta, su opinión es irrelevante. Además, la propuesta no afirma nada acerca de si en la actualidad las descripciones están bien o no; tan sólo se limita a establecer unas expectativas permanentes sobre su adaptación a los objetivos de utilización.

Aparte de por no cumplir con los criterios expuestos, una objeción también puede ser inválida si se basa en una mala interpretación de las normas de la holacracia y, por ende, de lo que se está proponiendo en el momento. Supón que el enlace representativo de Mercadotecnia expresa esta objeción: «Sencillamente no contamos con los recursos para hacerlo». La objeción contiene una pista de su invalidez: la palabra «recursos». Estás en una reunión de gobernanza, y las decisiones de esta no asignan recursos, ni tampoco pueden hacerlo. Añadir una obligación sólo introduce una expectativa de que el responsable de la función (o, en este caso, del círculo secundario) defina proyectos o acciones que se podrían hacer para implementar la actividad, para luego decidir conscientemente la manera de dividir el tiempo y los recursos que quiera que tengan entre sus numerosos proyectos y acciones.

Por decirlo de otra manera: uno puede ejecutar la obligación de «ajustar la mercadotecnia a los objetivos de utilización» llevando a cabo una acción de sesenta segundos para copiar y pegar esos objetivos directamente en el material de mercadotecnia, o mediante un proceso de sesenta minutos para revisarlos y editarlos, o dedicando seis meses y millones de dólares a contratar a McKinsey para que haga un concienzudo estudio de la cuestión; tomes el camino que tomes, estás implantando la misma obligación. En la gobernanza, *no estás asignando conscientemente recursos*, estás definiendo dónde está el trabajo y quién resolverá qué parte de sus recursos disponibles invierte en él, teniendo en cuenta todo lo demás que compita por esos recursos. Por tu parte, anulas la objeción del enlace representativo de Mercadotecnia explicando simplemente este hecho y volviendo a preguntar acto seguido si ve alguna razón para que la propuesta causase algún daño o hiciera retroceder al círculo, sabiendo que este no está asignando realmente ningún recurso.

Con esa posible objeción anulada, el enlace principal de Mercadotecnia plantea otra: «Objeción: nunca consigo entender exactamente cuáles son los objetivos de utilización ni con quién puedo contar para que los defina». Esta sí que parece válida se mire por donde se mire, pero si no estás seguro, pruébala con algunas preguntas como las descritas anteriormente; si es válida, superará la prueba.

Al final, esta objeción sí se revela válida, así que la añades en la pizarra a la lista de objeciones pendientes de resolver, aunque no haces nada al respecto por el momento; al menos hasta que todos los miembros del círculo hayan tenido la oportunidad de plantear objeciones y la ronda se haya completado. El próximo es Venta de Componentes, que dice: «Objeción: esto no abordará la tensión, porque hay más factores que están provocando el problema». Ahora bien, tú sólo tratas de resolver la tensión desde el punto de vista del proponente, así que el que los demás crean que se resolverá es irrelevante. Y si siguen percibiendo tensiones que quieren resolver, pueden añadir sus propios puntos al orden del día. En consecuencia, preguntas: «¿Ves alguna razón para que aprobar esta propuesta sería perjudicial o es que sólo crees que no abordará la tensión?» La respuesta es esta última, de manera que se te ha dicho que la objeción no es válida, ya que la aprobación de la propuesta no es una razón para que sea perjudicial en el futuro.

Así las cosas, sigues con el turno de objeciones hasta que se hayan planteado y comprobado todas. Recuerda que, como orientador, estás ahí para llevar el proceso de prueba de las objeciones con ligereza. Tu función no es la de sacar conclusiones sobre la validez de los argumentos planteados, sino simplemente la de examinar las objeciones potenciales con la curiosidad de un científico, hasta que la validez o falta de ella quede clara. Lo que quieres es que el objetor te diga si la objeción es válida. Si alguien puede aportar un argumento concreto y razonado de *por qué* la objeción cumple cada uno de los criterios específicos, entonces la constitución lo considera válido, estés o no de acuerdo con el argumento. Como orientador, tu labor se reduce a juzgar *si* un argumento concreto y razonado ha sido planteado efectivamente a favor de cada uno de los criterios; tú no tienes autoridad para juzgar la *validez* de esos argumentos.

Una vez expresadas y examinadas todas las objeciones, estáis listos para integrar las válidas que han quedado en una propuesta modificada.

La integración

En este ejemplo, ha aparecido una objeción válida y ha sido registrada en la pizarra. «No está claro cuáles son los objetivos de utilización ni quién los definirá.» Empiezas haciendo que el grupo se centre en esa objeción y preguntando: «¿Qué podríamos añadir a la propuesta, o en qué aspectos modificarla, para anular esta objeción mientras seguimos tratando la tensión original?» De inmediato nadie aporta ninguna idea, así que de manera específica diriges la pregunta al objetor que desempeña la función de enlace principal de Mercadotecnia para iniciar la búsqueda, porque, como poco, el objetor tiene el deber de tratar de encontrar una posible integración. «Bueno, podríamos aclarar a quién corresponde la labor de definir estos objetivos de utilización», responde. Alguien más añade: «Deberían proceder de Diseño de Componentes y ser publicadas internamente para todo el que las necesite».

Esto parece una obligación que podría ser definida, así que te vuelves hacia el enlace principal de Mercadotecnia y preguntas: «Si añadimos la obligación a Diseño de Componentes "de definir y publicar los objetivos de utilización de cada uno de los tipos de componentes", de manera que sepáis que podéis esperar eso de ellos, ¿resolvería eso tu objeción?» La rápida respuesta es un sí, así que lo consultas con el proponente: «¿Y la propuesta modificada con esta incorporación seguirá abordando tu tensión original?» De nuevo obtienes un sí, así que tachas la objeción y te aseguras de que el secretario ha registrado la propuesta modificada, ahora con dos partes: la ampliación de la obligación de Mercadotecnia y la nueva obligación que recae en Diseño de Componentes. Con todas las objeciones tachadas, ha llegado el momento de detener la integración y seguir adelante. Siempre que termines la fase de integración, tienes que volver al turno de objeciones para comprobar la propuesta modificada y ver si aparece alguna nueva objeción. Una vez que superes un turno de objeciones sin que surja ninguna, la propuesta se aprueba.

El poder de la integración de los puntos de vista

Como vimos en este ejemplo, las reuniones de gobernanza de la holacracia permiten que todos los miembros de un equipo utilicen sus puntos de vista para hacer propuestas y plantear objeciones, con la seguridad de que sus tensiones serán integradas y resueltas. Esto hace que la organización evite «vencer por mayoría a la luz de voltaje bajo», porque sólo necesita a un solitario humano que actúe de sensor para resolver una tensión importante o prevenir un daño derivado de la propuesta de otro. Sin embargo, este no es un proceso basado en el consenso; basta con que sólo una persona perciba una tensión para que esta sea considerada relevante, aunque nadie más la perciba y no haya «consenso» al respecto. Asimismo, cuando tratas de resolver una tensión, no estás buscando personalmente el acuerdo ni la aceptación de la gente, sólo la información desde el punto de vista de las funciones que cumplen, y sólo acerca de si la propuesta podría provocar algún perjuicio o hacer retroceder al círculo (reducir su capacidad para expresar su propósito). Un proceso que requiere el consenso es la antítesis de uno que trate de procesar todas las tensiones y ser auténticamente integrador; y es también la receta para dejar que los egos, el miedo o el pensamiento grupal entorpezcan el propósito de la organización.

Ahora bien, incluso con un proceso de integración rápido, la mayoría de las decisiones que se afrontan en el curso del trabajo cotidiano son relativamente sencillas y plantean un riesgo mínimo. Sería una devastadora pérdida de tiempo utilizar este proceso para todas ellas, así que la Toma de Decisiones Integradora se utiliza sólo en el ámbito fundamental de la gobernanza, y no para tomar decisiones operativas (a menos que lo requiera explícitamente una decisión de la gobernanza). En consecuencia, el proceso integrador de la holacracia se utiliza para definir el espacio para el control autocrático en determinadas áreas, además de los límites adecuados a ese control. Por ejemplo, en un círculo responsable de una línea de productos podría utilizarse el Proceso de Toma de Decisiones Integrador para definir una función que se encargue de todos los análisis y decisiones relacionados con los precios de sus productos. El círculo podría asignar a la función la obligación de «definir los modelos de precios para sus productos» y por ende concederá a quienquiera que desempeñe la función la autoridad para realizar esa tarea. Sin embargo, el círculo también podría definir un límite o expectativa adicional junto con esta autoridad; por ejemplo, podría exigir también que el responsable de la función ajustara los precios a los perfiles del consumidor meta que son definidos por otra función, o recabara la valoración de Contabilidad sobre la esperada rentabilidad del modelo de precios deseado. Tales restricciones podrían adoptar la forma de unas obligaciones adicionales o de una prueba añadida incorporadas a la primera obligación de fijar los precios. O bien se podrían capturar como una política aparte.

Con las funciones, las obligaciones y las autoridades definidas de manera concreta por medio de un proceso integrador, el círculo fortalece a sus miembros para hacer el trabajo del círculo y tomar decisiones específicas en pro de ese trabajo fuera de una reunión de gobernanza. Al mismo tiempo, todos los miembros del círculo pueden recurrir de nuevo al Proceso de Toma de Decisiones Integrador para el perfeccionamiento de esas concesiones de autoridad y sus límites, toda vez que las tensiones surgen de forma natural en el curso del trabajo.

A nivel humano, las reuniones de gobernanza regulares pueden transformar el tono emocional de un equipo. Una gobernanza incierta deja a todos con las expectativas implícitas de quién debería estar haciendo qué y cómo debería estar haciéndolo. Sin un proceso de gobernanza definido, es fácil inventar historias negativas sobre los demás o ir echando las culpas a diestro y siniestro cuando las presunciones tácitas entran en conflicto, o evitar esos problemas presionando a la gente para que se ajuste a las expectativas implícitas, a menudo valiéndose del camelo político o la creación de un consenso. En cuanto se implantan las reuniones de gobernanza, los miembros del equipo disponen de un foro para canalizar la frustración de las expectativas desajustadas y convertirlas en aprendizaje organizativo y mejora permanente, y tienen a su disposición un proceso más efectivo para definir las normas comunes que cualquier equipo de trabajo necesita. Hacer política pierde su utilidad, y el drama personal da paso a un debate más auténtico de cómo hacer evolucionar conscientemente la organización en función de sus objetivos y propósito general en el mundo.

ESTRATEGIA Y CONTROL DINÁMICO

«Cuando el número de los factores que intervienen en un complejo fenomenológico es demasiado grande, el método científico nos falla en la mayoría de los casos. Uno sólo tiene que pensar en el clima, en cuyo caso la mera predicción, aunque sea sólo con unos días de antelación, es imposible.»

—ALBERT EINSTEIN, *Ideas y Opiniones*

El paradigma operativo que llevo describiendo depende en gran medida de los individuos que gestionan y priorizan sus propias tareas y responsabilidades. Pero ¿cómo nos aseguramos de que también haya una armonización dentro de un equipo, por no hablar de una organización más grande? En la organización guiada por la holacracia, donde la autoridad está auténticamente distribuida y no hay un líder heroico supremo, es esencial que dispongamos de los medios para armonizar nuestra actividad no sólo entre unos y otros, sino con lo que se necesita en este momento para expresar el propósito de la organización. Sin duda, las reuniones tácticas ayudan, pero hay otro elemento clave más para guiar nuestra toma de decisiones y ayudarnos a todos a remar en la misma dirección: una estrategia. Una buena estrategia nos ayuda a tomar mejores decisiones diariamente en cuanto a qué le damos prioridad y qué caminos operativos escogemos.

Implícito en esta idea de la estrategia está la de centrarse en el futuro. Aunque siempre que intentamos ocuparnos del futuro, nos encontramos en un terreno peligroso. Demasiado a menudo, la estrategia corporativa se erige sobre la idea equivocada de que podemos predecir de manera fiable el futuro. Nassim Nicholas Taleb, uno de los autores más persuasivos sobre la ilusión de la predictibilidad, ha dicho: «Realmente no podemos hacer planes porque no entendemos el futuro, aunque esto no es necesariamente una mala noticia. Podemos hacer planes siempre que tengamos presente tales limitaciones. Sólo se necesita coraje».[13] Eric Beinhocker plantea un argumento parecido: «De los líderes corporativos se espera que sean unos generales audaces que prevean el futuro, diseñen grandes estrategias y dirijan a sus tropas a la gloria del combate... y luego son despedidos a la primera escaramuza que pierden. Es necesario un ejecutivo valeroso que luche contra esta mentalidad, admita la incertidumbre inherente al futuro y haga hincapié en aprender y adaptar las predicciones y los planes».[14]

Tal como señalan Taleb y Beinhocker, en los ambientes organizativos más convencionales, la estrategia es la misma esencia de la mentalidad del predice y controla; al fijar la estrategia, decidimos las metas correctas y luego trazamos un camino para alcanzarlas. Aunque hay algunas cosas que quizá podamos predecir, hay muchas más que sencillamente nos resultan imposibles. No podemos conocer el estado futuro de la economía ni de nuestro sector industrial en concreto, y no podemos prever qué innovaciones desbaratarán el mercado ni qué oportunidades pueden surgir; de hecho, sería más fácil hacer la cortísima lista de lo que podemos predecir de manera fiable, que señalar todo lo que no podemos y no obstante solemos intentar de todas maneras.

Cuando intentamos predecir el futuro en un mundo impredecible, no sólo nos estamos engañando, sino, lo que es peor, en realidad estamos inhibiendo nuestra capacidad para percibir y reaccionar a la realidad en el momento presente. Cuando te impones un «debería» —como en «debería ser equis en un plazo de cinco años— estás creando un vínculo con ese resultado; el vínculo limita tu capacidad para percibir cuándo la realidad no está yendo en esa dirección ni cuándo surgen otras posibles oportunidades que podrían entrar en conflicto con lo que inicialmente te propusiste lograr. Para ilustrar este dilema, tomemos una de mis metáforas favoritas, la cual aprendí hace muchos años en mi trabajo con los ágiles métodos de la programación informática. Dicha metáfora debería ayudar a ilustrar la paradigmática diferencia entre la estrategia convencional y el enfoque de la holacracia, antes de que nos metamos con los pormenores de lo que la constitución de la holacracia define como «estrategia» y la manera de trabajar con una.

Imagina que montas en bicicleta de la misma manera que administramos la mayoría de las organizaciones modernas. Celebrarías una gran reunión para decidir el ángulo en el que deberías sujetar el manillar; trazarías un mapa de tu recorrido con el mayor detalle posible, teniendo en cuenta todos los obstáculos conocidos y la sincronización exacta y hasta qué punto tendrías que ajustar tu rumbo para evitarlos. Luego, te subirías a la bicicleta, sujetarías rígidamente el manillar en el ángulo calculado, cerrarías los ojos y seguirías el rumbo planeado. Lo más probable es que no alcanzaras tu objetivo, incluso si consiguieras mantener la verticalidad de la bicicleta durante todo el viaje. Cuando la bicicleta se cayera, podrías preguntarte: «¿Por qué no hicimos esto bien la primera vez?» Y quizá: «¿Quién metió la pata?»

Este ridículo planteamiento no se diferencia mucho del que emplean muchas organizaciones para planificar la estrategia. Por el contario, la holacracia ayuda a que una organización actúe de manera más parecida a como montamos realmente en bicicleta, utilizando un paradigma de dirección dinámica. La dirección dinámica implica un ajuste permanente en función de las observaciones reales, lo cual contribuye a un recorrido más orgánico y emergente. Si observas incluso al ciclista más consumado, verás que zigzaguea ligera aunque constantemente, porque asimila de forma permanente las observaciones sensoriales sobre su estado y entorno actuales y realiza pequeñas correcciones de la dirección, la velocidad, el equilibrio y la aerodinámica. El zigzagueo se produce porque el ciclista mantiene un equilibrio dinámico mientras avanza, utilizando una observación rápida para mantenerse dentro de las muchas limitaciones del entorno y el equipo. En lugar de perder infinidad de tiempo y de energía prediciendo con exactitud la trayectoria «correcta» por adelantado, tiene presente su propósito, es plenamente consciente del momento y encuentra el camino más natural a seguir mientras avanza. Esto no quiere decir que el ciclista no tenga un plan o al menos cierta idea de la ruta probable, sólo que consigue tener más control, y no menos, sometiéndose a la realidad presente de manera permanente y confiando en su capacidad para percibir y reaccionar en el momento. De igual manera, dentro de nuestras organizaciones tenemos la oportunidad de adquirir más control enfrentándonos de forma más implacable a la realidad y adaptándonos continuamente.

Cuando acabamos vinculados al vaticinio de un resultado, existe el riesgo de que acabemos atrapados en combatir la realidad cuando esta no responda a nuestro augurio. Si descubrimos que no estamos en el camino que habíamos trazado para nosotros mismos, podemos concluir, a veces inconscientemente, que ha pasado algo. Este juicio de la inhibe entonces nuestra capacidad para reaccionar, y nos anima a resistirnos a la desagradable verdad, a intentar, en suma, forzarla para que se adecue a la visión vaticinada. Esta no es una estrategia muy eficaz para abrirse camino a través de la complejidad en constante cambio de los negocios de hoy en día. Cuando la realidad entra en conflicto con nuestros planes mejor trazados, generalmente es aquella la ganadora.

Debería observar que adoptar un enfoque más dinámico para hacerse con el control no es en absoluto lo mismo que «falta de predicción», al menos no más que lo de montar en bicicleta sea un proceso de «falta de dirección». Más bien se trata de cambiar la manera en que nos relaciones con nuestras previsiones y planes, considerándolos como falacias ocasionalmente útiles, pero nunca las herramientas fundamentales para controlar la organización. Y se trata también de ser plenamente conscientes del aquí y ahora, de manera que podamos rectificar permanentemente la dirección en respuesta a la realidad actual. Cuando la dirección dinámica se hace bien, esta permite que la organización y los que están dentro permanezcan plenamente conscientes y actúen de manera decisiva sobre todo lo que surja a diario, igual que un experto en artes marciales o el estereotipo del maestro Zen.

La holacracia ya lleva codificada un proceso de control más dinámico en sus procesos y normas básicas. Tal vez hayas reparado en que en el proceso de reuniones tácticas y de gobernanza, la atención se centra siempre en alcanzar rápidamente una decisión *viable* para luego dejar que la realidad conforme el paso siguiente, en lugar de darle vueltas a lo que podría suceder en un intento de sacarse de la manga una teórica mejor decisión que sigue sin ser del todo correcta. Una regla básica de la gobernanza de la holacracia es que todas las decisiones pueden ser revisadas en todo momento. Esto deja las manos libres a los equipos para pasar rápidamente de la discusión y la planificación a probar de manera efectiva las decisiones en la realidad y aprender de los resultados. La estructura que empieza siendo deficiente puede acabar rápidamente bien adaptada a las necesidades reales, a través de un proceso continuo de hacer frente a la realidad e incorporar lo observado. Y lo mismo se puede decir también en relación a multitud de proyectos y otras cuestiones operativas.

Si quieres realizar una planificación convencional a pesar de estas advertencias, la constitución de la holacracia en absoluto lo prohíbe, pero con arreglo a las normas y procesos de la holacracia, te resultará muy difícil dirigir las conductas de los demás basándote en los objetivos determinados de antemano. No hay ninguna norma que exija que alguien prediga o controle el futuro; ahora bien, la constitución ofrece algunas herramientas alternativas que se pueden utilizar para una adaptación y priorización más dinámicas en todo el equipo. Examinaremos unas y otras a continuación.

La estrategia en la holacracia

Quizá no podamos trazar la ruta perfecta hacia el futuro ideal, pero a menudo sí que podemos establecer ciertos principios para orientarnos mientras avanzamos. Sin tratar de predecir exactamente con qué encrucijadas nos encontraremos en ese camino, podemos preguntarnos qué es lo que nos ayudará a tomar las mejores decisiones cuando lleguemos a una. Cuando retrocedemos para echar un vistazo al entorno más amplio y a todo el territorio y a las opciones que se abren ante nosotros, a menudo no somos capaces de conseguir unas pautas, como «En general, dirígete al este» o «Escoge los caminos fáciles antes incluso por encima de los más directos». Una regla general como esta es verdaderamente conveniente cuando nos enfrentamos a una decisión y queremos beneficiarnos del conocimiento obtenido cuando nos podíamos permitir el lujo de retroceder y analizar el panorama general. Cuando destilamos ese conocimiento hasta conver-

tirlo en unas directrices fáciles de recordar, podemos aplicarlas con
mayor facilidad y regularidad en mitad del ajetreo del desempeño
cotidiano.

Esta es, pues, la forma que adopta la estrategia en la holacracia:
la de una norma general, fácil de recordar, que ayuda a la toma de
decisiones y la priorización (el término técnico para tal regla es
«heurística»). Me ha parecido provechoso expresar estas reglas de
apoyo a las decisiones mediante una sencilla frase como: «Haz hincapié en X, incluso por encima de Y», en la que X es una actividad,
acento, foco u objetivo potencialmente valiosa, e Y es otra actividad, acento, foco u objetivo potencialmente valiosa. Ahora bien,
para hacer que esto sea de utilidad, no puedes hacer sin más que X
sea bueno, e Y malo. «Haz hincapié en la atención al cliente, antes
incluso que en cabrear a los clientes» no es una orientación práctica.
Tanto X como Y tienen que ser cosas positivas, de manera que la
estrategia te proporcione alguna idea de a cuál dar un trato de favor,
por el momento, en función de tu contexto actual. Por ejemplo, una
de las primeras estrategias de HolacracyOne en la gestación de la
empresa fue: «Haz hincapié en la documentación y adaptación a las
normas, por encima incluso del desarrollo y creación conjunta de
novedades». Observa que tanto una como otra actividad son algo
positivo a lo que una organización puede dedicarse, aunque también
son opuestos que están en mutua tensión. Nuestra estrategia no es
una declaración de valores universal y general; de hecho, si intentára-
mos aplicarla para siempre, sin duda al final provocaría graves per-
juicios. Hay ocasiones en que es esencial hacer hincapié en desarrollar y crear conjuntamente novedades antes que en documentar y
adaptarse a las normas. Pero para HolacracyOne, teniendo en cuenta
el contexto del momento, los antecedentes recientes y el propósito
para el que trabajamos, fue a lo que nos pareció más lógico dar un
trato de favor, al menos durante algún tiempo: la normalización, incluso a costa de no dedicarnos a nuevas y fascinantes posibilidades.

Por supuesto, nadie estaba en contra de la creación de novedades;
por lo que a mí respecta, esa me parece la manera más natural de actuar. Durante los primeros años de nuestro desarrollo, cada actividad
o formación que hacíamos era única y especial, creada conjuntamente
sobre la marcha con diferentes socios que se ofrecieron a acogernos y

colaborar en la comercialización. Esto nos ayudó a explorar los nuevos entornos en los que nos estábamos adentrando, y generó mucho movimiento y algunas relaciones importantes. Pero nuestra afición a crear nuevas ofertas interesantes no tardó en hacerse insostenible en aquella fase concreta de nuestro desarrollo; es algo que resulta caro cuando cada nueva oferta es un producto personalizado y cada alianza requiere negociar un acuerdo exclusivo. Llegamos a la estrategia que he comentado para compensar el balance, estabilizar la organización y hacerla más eficiente y sostenible. Esto nos proporcionó unas directrices útiles y tuvo un efecto de concentración mientras nos abríamos camino por las decisiones diarias que cada uno tenía que afrontar. Y, al final, la estrategia perdió su valor; había integrado los dos polos bastante bien y encontrado la armonía entre ellos, y llegó el momento de centrarse en otra cosa.

Por poner un ejemplo de cómo nos ayudó la estrategia de priorizar la normalización: en mi función Diseño de Programas de nuestro círculo Holacracia Educación, de vez en cuando recibía un correo electrónico de alguien que había oído hablar del sistema, se había sentido inspirado y entonces quería asociarse para crear una nueva clase de actividad para su sector empresarial particular. Ante cada oportunidad como esa yo me entusiasmaba, pero nuestra estrategia me recordaba que en ese momento de nuestro desarrollo antes debía invertir mi tiempo y energía en la normalización de nuestros programas y actividades ya existentes, aunque eso significara perder aquella nueva oportunidad.

La estrategia de primero la normalización ayudaba a nuestra función Relaciones con los Clientes cuando le llegaba una pregunta que nunca antes había respondido. En lugar de mandar una rápida respuesta por correo electrónico y seguir adelante, se tomaba su tiempo para crear una respuesta normalizada y documentarla, o quizá la agregaba a las Preguntas Frecuentes de nuestra página web, para que la próxima vez que se planteara una pregunta similar no tuviera que empezar desde cero.

PREDICCIÓN FRENTE A PROYECCIÓN

Aunque el enfoque estratégico de la holacracia es refractario a depender de las predicciones, esto no quiere decir que todas las planificaciones orientadas al futuro o las reflexiones con carácter previsor sean inútiles. A este respecto, resulta práctico comprender la diferencia entre predecir y proyectar. «Predecir» viene del latín *prae-*, «antes», y *dicere*, «decir», esto es, literalmente significa «decir con antelación» o «vaticinar, profetizar». Por otro lado, «Proyectar» proviene del latín *pro-*, «delante de», y *iacere*, «arrojar», o lo que es lo mismo, «arrojar hacia adelante». Y para arrojar hacia adelante, uno debe estar firmemente asentado en el lugar desde el que empieza: la realidad actual. Obtener una información real y «proyectarla hacia adelante» para hacerse una idea de hacia dónde se están dirigiendo los acontecimiento, suele ser provechoso para comprender mejor tu entorno, y no tiene nada que ver con «vaticinar y profetizar» dónde estará la realidad en el futuro.

Las reuniones estratégicas

La constitución de la holacracia exige que los individuos ajusten sus decisiones operativas a cualesquiera estrategias definidas por el enlace principal de un círculo, y es este el que tiene que decidir qué procesos utilizar para resolver cuáles son las estrategias convenientes. En ciertas circunstancias, puede ser suficiente y hasta aconsejable que el enlace principal utilice simplemente su criterio personal para establecer una estrategia. Como es natural, esto conlleva el peligro de pasar por alto otros puntos de vista importantes u otras ideas útiles, y sin duda no saca provecho al conocimiento colectivo de todos los que trabajan en el círculo a diario. Es posible que un enlace principal desee utilizar alguna clase de proceso de lluvia de ideas para recopilar las aportaciones antes de declarar una estrategia, o incluso un proceso grupal más estructurado pensado específicamente para definir las estrategias al estilo de la holacracia. Algunos círculos y organizaciones con los que he trabajado han adoptado la política de exigir tales procesos, restringiendo la autoridad del enlace principal para establecer autocráticamente una estrategia.

Aunque la constitución no especifica ningún proceso único para definir las estrategias, en mi organización hemos experimentado con varios a lo largo de los años, y ayudado a que nuestros clientes hicieran otro tanto. De resultas de ello, hemos elaborado un proceso «de reuniones estratégicas» genérico que funciona muy bien en la mayoría de los círculos en los que lo he experimentado, y me parece que es una alternativa lo bastante buena para que la considere cualquier enlace principal que esté buscando una manera eficaz de definir las estrategias valiéndose de las aportaciones. Normalmente, los círculos celebran una reunión estratégica más o menos cada seis meses, y, por lo general, dura alrededor de cuatro horas, aunque puede que se alargue hasta llegar a cinco o seis horas. El objetivo de estas reuniones es el de hacer un esquema de los antecedentes recientes y el contexto actual del círculo a fin de orientar a todos sus miembros, para luego pasar a identificar las estrategias que ayuden al equipo a conducirse en el futuro. Mientras que los procesos de planificación estratégica convencionales normalmente buscan establecer una planificación específica, estas reuniones sólo pretenden encontrar unas buenas normas básicas que apoyen las decisiones. En lugar de trazar un «rumbo adecuado», tratan de dotar al equipo con la brújula correcta que les guíe durante el trayecto.

A continuación se incluye un resumen del proceso.

PROCESO DE LAS REUNIONES ESTRATÉGICAS

1. Ronda de control

2. Orientación: Revisión del propósito, el campo y las obligaciones del círculo y de cualquier estrategia del círculo superior.

3. Retrospectiva

- Cada participante reflexiona en silencio y recopila los hechos, datos, actividades y antecedentes destacados.
- Los participantes hacen públicas sus notas sobre la pared, y de manera colectiva organizan/agrupan las que guarden relación.
- Los participantes describen/aclaran las notas importantes e intercambian reflexiones; el orientador elabora una lista de las principales tensiones planteadas en el intercambio.

4. Generación de estrategias:
- Recopilar y publicar las ideas individualmente: ¿en qué debería hacerse hincapié, teniendo en cuenta estas tensiones?
- Debate colectivo: ¿qué estrategia o estrategias deberían guiarnos de cara al futuro?
- Enlace principal propone una o más estrategias; estas son procesadas a través de la Toma de Decisiones Integradora.

5. Concretar la estrategia
- Cada uno de los asistentes, de manera individual, reflexiona y recopila los proyectos y acciones siguientes a llevar a cabo en su función.
- De uno en uno, cada uno de los participantes cuenta lo que ha recopilado y solicita/recibe aportaciones e ideas.

6. Ronda de clausura

1. Ronda de control
Al igual que en las reuniones tácticas y de gobernanza, las estratégicas empiezan con una ronda de control.

2. Orientación
Una vez que la ronda de control ha concluido, el orientador pone de relieve el propósito, los campos y las obligaciones del círculo. Esta breve orientación sirve para que todos se centren en la identidad del círculo y en lo que se está tratando de alcanzar, además de en su contexto y cualesquiera estrategias relevantes.

3. Retrospectiva
El fin de la retrospectiva no es otro que el de reflexionar sobre cómo has llegado al momento presente y qué apariencia tiene el panorama actual. Recopila y publica los puntos relevantes, y no juzgues la imagen que resulte de ello ni debatas sobre lo que haya que hacer en este momento, sólo saca a relucir las cosas y recopílalas hasta que tengas una imagen sólida de tu contexto actual. He descubierto que una manera efectiva de facilitar este paso es repartir libretas de notas adhesivas muy grandes y hacer que los miembros del equipo escriban sus observaciones en ellas, una por nota adhesiva, con letras grandes. Los

asistentes fijan sus notas sobre una pared para que todos las vean, y luego las reagrupan y organizan en grupos naturales de observaciones relacionadas. Una vez que estén agrupadas las notas adhesivas, el orientador solicita que se aporten los comentarios, aclaraciones o reflexiones sobre las notas de cada uno de los grupos, de uno en uno, y que se registren las tensiones puestas de manifiesto durante el proceso.

4. Generación de estrategias

El siguiente paso consiste en que cada uno de los individuos reflexione sobre la pregunta: «¿En qué sería lógico hacer hincapié a diario para facilitar el tratamiento de esas tensiones?», y tome nota de todas las ideas que se le ocurran. Observa que no estás preguntando la manera de abordar las tensiones con unas acciones o proyectos concretos o una nueva gobernanza; estás preguntando en dónde poner el énfasis general, esto es, estás pidiendo una norma básica que aplicar. Lo habitual es que cada persona aporte dos o tres ideas, puestas en grandes notas adhesivas como en el paso anterior. Cuando establecimos la estrategia inicial de HolacracyOne, se puso de manifiesto, la primera vez que se mostraron tales notas, que de alguna manera teníamos que hacer hincapié en la normalización, porque de una u otra forma era eso lo que mencionaban varias de las sugerencias.

Una vez fijadas las sugerencias, da comienzo una serie de debates con un carácter más convergente para discutir la estrategia concreta: «¿En qué deberíamos hacer hincapié? ¿Qué estrategia debería guiar nuestra toma de decisiones?» Llegados a este punto, acuérdate del formato que recomendaba para las estrategias: «Haz hincapié en X, incluso antes que en Y». La parte «incluso antes que en Y» de la ecuación es bastante contundente; sin ella, hacer hincapié sin más en algo en particular no será tan positivo ni práctico. «Documentar y adaptarse a las normas» no nos aporta gran cosa con la que trabajar hasta que se yuxtapone a «antes que desarrollar y crear conjuntamente novedades». Con la articulación explícita de la polaridad, de pronto tenemos una ayuda de gran alcance para la toma de decisiones.

A modo de un ejemplo más, un círculo con el que trabajamos quería cambiar la manera en que abordaban las ventas y la mercadotecnia, así que definieron una estrategia de «atraer de verdad, *por encima incluso de* perseguir», donde la primera parte por sí sola podría haber sido un buen recordatorio, pero la segunda hace una declaración mucho más contundente sobre el cambio de prioridades.

En cuanto el debate llega a una uniformidad y conclusión naturales —o cuando el enlace principal cree que se acerca lo suficiente como para que no valga la pena invertir más tiempo o energía en mejorar la formulación exacta—, entonces el enlace principal da por terminada la discusión y propone una o más estrategias concretas. Esa propuesta es procesada utilizando el Proceso de Toma de Decisiones Integrador (véase p. 84), igual que en las reuniones de gobernanza.

5. Concretar la estrategia

Una vez que la nueva o nuevas estrategias se han establecido, cada uno de los asistentes dedica unos instantes a pensar: «¿Qué podría hacer en mis funciones para representar mejor la nueva estrategia?» y anotar todas las ideas que se le ocurran. Una vez que todos han tenido la oportunidad de reflexionar, los participantes comparten sus ideas de uno en uno, y los demás pueden hacer sugerencias y más sugerencias. Esto normalmente da lugar a muchos nuevos proyectos y acciones, además de algún punto para el orden del día de la siguiente reunión de gobernanza.

6. Ronda de clausura

Al igual que en las reuniones tácticas, las estratégicas acaban con una ronda de clausura en la que se expresan las reflexiones finales.

Un proceso de reuniones como el que se acaba de describir puede facilitarte que adquieras el hábito de relacionarte con la estrategia de una nueva manera. También contribuye a que cualquier equipo que realice su transición desde el estático predice y controla a la dirección dinámica, lo cual requiere algo más que unos nuevos principios o un liderazgo inspirado; requiere una práctica comprometida, dentro de un sistema como la holacracia que integra el cambio en los procesos esenciales de una organización. Mejorados los sistemas y procesos de esta manera, las organizaciones pueden aumentar considerablemente su capacidad para abrirse camino por las complejidades del mundo moderno, de la misma manera que un consumado ciclista avanza por una calle atestada: con elegancia, fluidez, conscientemente, y sin miedo.

La evolución en el interior

En el capítulo inicial de este libro, afirmaba que una organización que funcione con la holacracia no sólo está evolucionada sino que es *evolutiva*, esto es, capaz de adaptarse, aprender e integrar aprovechando el tremendo poder de percepción de la conciencia humana. La holacracia, sugería, logra lo que Eric Beinhocker describió como la clave para hacerlo mejor en la empresa: «Llevar "la evolución al interior" y conseguir que las ruedas de la diferenciación, la selección y la amplificación giren dentro de las cuatro paredes de una empresa». Ahora que hemos informado de los mecanismos de la gobernanza y de los principios clave de la dirección dinámica, me gustaría volver a este aspecto esencial y explorar la manera en que la habitual gobernanza movida por las tensiones puede desencadenar la evolución en el seno de una empresa.

«La evolución crea los diseños, o, por mejor decir, descubre los diseños, por medio de los procesos de prueba y error», escribe Beinhocker. «La evolución es un método para registrar enormes espacios, casi infinitamente grandes, de diseños posibles para la casi microscópica fracción de diseños que son "aptos" con arreglo a su propósito y entorno concretos.» El autor describe la evolución como un «algoritmo de búsqueda».[15] La teoría evolutiva moderna ha identificado cuatro elementos necesarios para que este algoritmo de búsqueda despliegue su magia y desbloquee la fuerza del diseño evolutivo:

- la codificación de un diseño
- una manera de expresar ese diseño
- una forma de modificar el código
- los medios de comprobar la «aptitud» de un diseño y de ampliar los diseños aptos

Examinemos brevemente de qué manera estos elementos aparecen en el mundo biológico, que es el que con mayor frecuencia asociamos a la evolución. En primer lugar, hay una codificación. Nuestro ADN codifica un diseño. Segundo, tiene que haber una manera de expresar ese código. Esa es la función de nuestras células; decodifican el ADN y expresan el diseño que representa en el mundo. Tercero, tiene que haber una manera de modificar el código. En los mamíferos, eso lo hace la reproducción sexual y la mutación aleatoria. Cuarto, tienen que existir unos medios de comprobar la «aptitud» de un diseño y de seleccionar qué diseños aptos continuar o ampliar, mientras que los ineptos son sacrificados y olvidados. En el mundo biológico esto se conoce como selección natural, el proceso por el cual los diseños que son aptos para su entorno sobreviven para reproducirse y ampliarse, mientras que sus primos menos aptos disminuyen en cantidad y al final desaparecen.

Cuando se dan estos cuatros elementos y actúan juntos, se desencadena un proceso creativo, el aparentemente milagroso «diseño sin diseñador» que ha dado lugar a toda la diversidad de vida de este planeta. La evolución coge un código, lo expresa, comprueba los resultados para ampliar los diseños aptos y eliminar al resto, y modifica el código para encontrar diseños aún mejores. Este proceso prosigue reiterativamente mediante un refinamiento y una eclosión creativa aún mayores. La razón de que denomine «evolutiva» a la holacracia no es otra que la de que introduce este algoritmo en una organización, y lo hace mediante esos mismos cuatro elementos.

Cuando digo que la holacracia está impulsada por la evolución, no es sólo una metáfora. Los resultados de gobernanza de una organización codifican el diseño de la organización: sus funciones, obligaciones, campos y políticas. En las operaciones de una empresa guiada por la holacracia, nosotros, los «responsables de las funciones», desciframos ese código y lo expresamos en el mundo. Los resultados se cotejan con una función de aptitud, que en la holacracia es la capacidad de la organización para expresar su propósito con un gasto mínimo. Los diseños aptos son seleccionados y guardados, y en la medida en que un diseño esté por debajo del ideal para un propósito dado, surgirán las tensiones. Es nuestra capacidad humana para percibir y procesar estas tensiones mediante las reuniones de gobernanza lo que nos proporciona el medio de modificar el código: hacemos evolucionar el diseño de la organización mediante el proceso de gobernanza de la holacracia, ocupándonos de una tensión cada vez. Cada reiteración sucesiva a través de la gobernanza nos da una nueva variación sobre el código de nuestra organización, y cada variación es expresada y comprobada asimismo en un proceso continuo, mientras la innovación evolutiva hace avanzar a nuestra organización. Con la holacracia, ninguna persona sola diseña la organización, y ningún grupo aislado se sienta y diseña la organización. Antes bien, el diseño de la organización es el resultado surgido de un algoritmo evolutivo; lo cual es algo positivo, porque cuando se trata de encontrar los diseños aptos, la evolución es mucho más lista que nosotros.

TERCERA PARTE

LA EVOLUCIÓN IMPLANTADA: VIVIR LA HOLACRACIA

LA ADOPCIÓN DE LA HOLACRACIA

«Las grandes organizaciones de todo tipo padecen una diversidad de discapacidades congénitas que ninguna terapia gradual, cualquiera que sea su magnitud, puede curar.»

—GARY HAMEL,
«The Core Incompetencies of the Corporation»

Confío en que al menos te hayas hecho una ligera idea de en qué consiste la holacracia y cómo puede transformar tu experiencia cotidiana del juego de los negocios. Y en que, sólo quizá, estés lo bastante intrigado para preguntarte: ¿cómo cambiar mi empresa para que funcione así? En este capítulo, desvelaremos algunas cuestiones relativas a la adopción de la holacracia, y te guiaré por el proceso de introducirla en tu organización o equipo. También te contaré algunas ideas sobre lo que puedes erigir sobre los cimientos que proporciona; luego, en el último capítulo, retomaremos el tema de la adopción y examinaremos los problemas y cambios que puedes esperar durante el primer año de práctica.

Una de las preguntas más frecuentes que oigo de las personas que están aprendiendo la holacracia es: «¿Puedo adoptar ciertas partes del sistema, como los formatos de las reuniones?» Es una pregunta comprensible. La holacracia entraña un gran cambio, y entiendo el deseo de encontrar una manera reducida para empezar. Pero la sencilla respuesta es que no. No, si lo que quieres es conseguir los beneficios que conlleva un nuevo paradigma; y no, si lo que quieres es experimentar la profunda transformación que ofrece. Naturalmente, es posible que pudieras mejorar la eficacia de tus reuniones, pero eso, por sí solo, no es la holacracia.

La holacracia es un cambio sistémico a una nueva y potente estructura, y eso supone un cambio binario: o el poder lo ostenta y delega un director, o lo ostenta la constitución de la holacracia; o un director proclama qué normas o procesos serán los que se vayan a utilizar, o los directivos están sujetos a la constitución y ya no tienen autoridad para realizar tales proclamaciones. Adoptar partes de la holacracia no cambiará la estructura del poder, y el cambio en la estructura del poder es donde radica su verdadero potencial. Por decirlo de otra manera: si intentas adoptar partes de la holacracia, seguirás teniendo que responder a la pregunta: «¿Quién escoge esas partes?», y eso te conduce directamente de vuelta a la estructura de poder existente. Dicho esto, si no es posible que puedas adoptar todo el asunto ahora mismo en tu situación actual, no te preocupes: en el siguiente capítulo te aportaré algunos consejos y numerosas técnicas y enseñanzas de la holacracia que pueden ser bastante útiles dentro de una organización convencional. Pero, en la medida de lo posible, la mejor manera de empezar es realizando el cambio a una estructura de poder regida por la constitución.

Ese va a ser un salto aterrador, especialmente para cualquiera de tus colegas que no haya leído este libro. Probablemente querrás experimentar la holacracia en acción antes de tratar de convencer a los demás de que inviertan el tiempo y los recursos de vuestra compañía en semejante empeño. Por suerte, existen muchas maneras de que tú y tu equipo podáis adquirir una experiencia práctica del sistema antes de dar un paso decisivo. Mi empresa y algunas más utilizamos un taller ejecutivo de dos días para ayudar a los equipos de gestión a que tanteen la holacracia y el cambio a un sistema de autoridad distribuida. A lo largo de esos dos días, ofrecemos una visión general de la holacracia, ensayamos con los participantes las reuniones tácticas y de gobernanza utilizando sus verdaderos asuntos y problemas actuales, y analizamos qué efectos tendría la implantación en su organización y qué estructura inicial de círculos utilizarían. Aparte de una experiencia personalizada como esta, existen muchas posibilidades para que la gente se haga una idea de la holacracia o adquiera una experiencia más intensa a través de los talleres y cursos de formación públicos. Pero hagas lo que hagas para analizar el sistema y adquirir la seguridad de que es adecuado para tu organización, una vez que estés listo para adoptarlo, tienes que quedarte con el lote entero de golpe para conseguir sus verdaderos beneficios.

Adoptar todo el lote no significa que tengas que poder practicarlo a la perfección desde el principio. Considéralo como aprender un nuevo deporte: el fútbol, como hemos planteado anteriormente. Cuando entrenas a un grupo de niños de seis años para que jueguen al fútbol, no empiezas enseñándoles dos o tres reglas y esperas a que las dominen antes de empezar a jugar. Más bien lo contrario, les haces seguir todas las normas lo mejor que puedan; puede que no lo hagan con elegancia ni con una técnica magistral, pero, no obstante, están jugando al fútbol. Y así es como adquirirán la habilidad, con la práctica, jugando al fútbol de verdad, hasta que quizá un día se encuentren jugando en el instituto, o en la universidad, o en el Campeonato del Mundo. Con la holacracia sucede exactamente igual. Aprendes asumiendo todas las normas de golpe, sea cual sea el nivel de destreza en el que te encuentres, y mejoras a base de jugar, de la práctica, por difícil que pueda resultar al principio.

Otra opción a considerar es que, aunque no puedas practicar realmente la holacracia adoptando sólo una parte de las reglas, sí que puedes asumir todas las normas en sólo una parte de la empresa, como cuando un único directivo quiere adoptar la holacracia sin enrolar a la organización en general. En este caso, el directivo adopta la constitución de la holacracia y le cede parte del poder, pero la «organización» a la que la constitución hace referencia es sólo el equipo o departamento de aquel. Una adopción así en una parte de la empresa puede ser útil aunque toda la organización acabe tratando de seguir el ejemplo. Sobre todo en las empresas grandes, no es infrecuente ver un departamento o división poniendo a prueba la holacracia antes de que se apunte toda la organización. O puede que el propósito sea desarrollar algunas habilidades y experiencia internas antes de pasar a una implantación planificada general. Este es el planteamiento que adoptó Zappos, que puso a prueba la holacracia en un departamento y luego creó su propio círculo de Implantación de la Holacracia para supervisar la puesta en marcha general y formar a los orientadores.

Sea cual fuere la motivación para adoptar la holacracia en parte de una empresa, ten en cuenta que hacerlo así probablemente sea causa de conflictos. Una vez que el equipo o departamento tenga abiertas esas nuevas vías para procesar las tensiones que perciban, los miembros pueden sentirse frustrados cuando no puedan hacer lo mismo fuera de los límites de su equipo. También tendrás algunos problemas cuando el nuevo enfoque de la holacracia sea parcialmente incompatible con algunos de los sistemas generales de la organización, como puedan ser los procesos convencionales de retribución y despido gestionados por la dirección. Algunas de las empresas con las que he trabajado, que empezaron con una experiencia piloto, acabaron acelerando la adopción para toda la empresa a fin de resolver estos y otros problemas ocasionados por «vivir en dos mundos», como los jefazos de una empresa cliente empezaron a aludir a la situación. Sea como fuere, no tienes que predecir ni controlar el proceso de adopción completo por adelantado; puedes empezar por cualquier lugar, adoptar la constitución y adaptar el proceso de implantación a medida que avanzas, tratando una tensión cada vez.

¿Holacracia para las comunidades?

Otra pregunta que se me suele hacer es: «¿Puedo utilizar la holacracia para manejar mi grupo social, comunidad o movimiento?» A este respecto, la respuesta tiene más matices. La holacracia es un sistema de gobernanza pensado para una organización, no para un grupo de personas; recuerda, el proceso de gobernanza sólo puede gobernar el trabajo y las funciones de una organización, no a las personas. En el sentido que se le da aquí, una «organización» es una entidad que existe más allá de las personas, con un propósito propio que representar y un trabajo que hacer que consiste en algo más que atender a las personas que hacen ese trabajo.

Una organización

- tiene unos *límites* que definen su competencia, propiedad y procesos al margen de las personas involucradas; esto es, «un campo» que controla y regula
- tiene *un intercambio energético* con el mundo exterior a esos límites; proporciona algo para o por el mundo, y recibe algo a cambio

- tiene un *propósito* que persigue, un trabajo que hacer para ese propósito y unos recursos para utilizar

Si tienes una entidad legal que controla una propiedad (ya sea física, ya monetaria, ya intelectual) y que realiza alguna actividad en el mundo, entonces probablemente tengas una organización según esta definición. Si no estás seguro —tal vez estés pensando en un movimiento social, un grupo comunitario o un club del tipo que sea— entonces examina los criterios identificados más arriba y considera si tu organización los cumple y de qué manera. ¿Qué propiedad dentro de su campo tiene que controlar? ¿Qué le proporciona al mundo y qué recibe a cambio? ¿Cuál es su propósito y qué trabajo realiza para alcanzarlo, más allá de atender a aquellos que realizan el trabajo? Unas respuestas claras a estos extremos te ayudarán a comprender si existe un propósito, una propiedad y un trabajo organizativos que estructurar y gobernar más allá de las personas. Y si los hay, estudiar estas preguntas te ayudará a diferenciar entre la comunidad humana y la entidad organizativa, porque la holacracia existe exclusivamente para gobernar esta última.

Formación y orientación

Aunque en estas páginas me he esforzado en abarcar tanto los detalles como las cuestiones prácticas y proporcionar ejemplos de la vida real para ilustrar los métodos, recomiendo encarecidamente que cualquier organización que adopte la holacracia considere seriamente introducir la ayuda de un instructor externo cualificado para realizar la transición. A medida que empieces, el instructor tiene que representar a la constitución, tiene que conocer todas las normas y cómo aplicarlas en cada momento, con habilidad, neutralidad y paciencia. Y esto, además de todo el resto de conocimientos empresariales y de formación necesarios para cambiar la estructura de poder de una organización y ayudar a la gente a que aprenda nuevas maneras de influir en ella y en los demás.

Dicho esto, hay que aclarar que contratar a un instructor cualificado no siempre será una medida práctica para todas las organizaciones, y sé que muchas personas querrán adoptar la holacracia sin ayuda exterior a pesar de esta advertencia. Si este es tu caso, considera la posibilidad de adquirir toda la experiencia práctica y formación que te sea posible antes de empezar. Ya hay disponibles multitud de seminarios públicos sobre la holacracia, impartidos por varias empresas; busca una que se adecue a tu presupuesto y horario y asimila todo lo que puedas antes de que te metas de lleno en la cuestión. Aunque dispongas de una ayuda externa, o de un experto interno, que te guíe, cuantos más miembros de tu equipo tengan oportunidad de experimentar la holacracia en un entorno de aprendizaje, más fácil y rápida será la transición. En palabras de John Bunch, de Zappos, que dirigió gran parte de la implantación de la holacracia en su empresa: «La formación es esencial. En Zappos creamos un seminario de formación de tres días parecido a la Formación Profesional de HolacracyOne; hasta el momento han pasado por él 400 personas, y ha supuesto una ayuda inmensa para la puesta en marcha».

Si quieres conseguir una evaluación sobre tu nivel de comprensión de la manera de operar en una empresa impulsada por la holacracia o facilitar la creación de un nuevo círculo, consigue asesoramiento gratis en http://holacracy.org/assessment. Esta página pondrá a prueba tus conocimientos de las normas y estructura de poder exclusivas de la holacracia, además de tu comprensión de las medidas de ayuda para establecerlas. Aparte de una puntuación global, el asesoramiento te hace sugerencias relacionadas con cada pregunta, para que sepas qué áreas deberías seguir estudiando o qué otras capacidades adquirir.

Los cinco pasos para instalar la holacracia

Una vez que hayas adquirido al menos cierta formación o conseguido un instructor cualificado y estés listo para meterte de lleno, utiliza el siguiente proceso para impulsar la holacracia en tu organización y empezar por el buen camino.

1. Adopta la constitución de la holacracia.
2. Crea un sistema compartido para los registros de gobernanza
3. Define tu estructura inicial
4. Ten las primeras reuniones de gobernanza y celebra las elecciones
5. Programa las reuniones tácticas y de gobernanza habituales

1. Adopta la constitución de la holacracia

Para adoptar la holacracia como una nueva estructura de poder para tu organización (o equipo/departamento), primero debes hacer que quienquiera que ostente formalmente el poder lo ceda sin ambages a las «reglas del juego» de la holacracia. Estas normas están documentadas formalmente en la constitución, y, por lo tanto, el primer paso para practicar la holacracia es hacer que el/los actual/es titular/es del poder ratifique/n este documento como sede del poder de la organización.

Quién sea el que lo ratifique eso dependerá de tu actual estructura de poder, y pueden darse muchas alternativas viables en función de hasta qué punto deseas implantar la holacracia. Para una organización entera, la ratificación podría adoptarse a través de una resolución formal del consejo o de una política del director general sin que medie una acción del primero. Por lo general, es esto último lo que recomendamos, a fin de evitar la complejidad añadida de conseguir la aprobación del consejo desde el principio. Si es una parte de una organización la que adopta la holacracia, la constitución podría ser ratificada por un directivo actual del departamento, siempre que tenga la autoridad para determinar la manera en que va a ser estructurado y ejecutado el trabajo en dicho departamento. La constitución podría ser incluso ratificada por consenso o votación democrática, si esa fuera realmente la estructura del poder formal actualmente en funcionamiento en tu organización; aunque te estarás buscando problemas si tratas de utilizar este enfoque sólo para obtener la aprobación, si esa no fuera la estructura del poder formal actual.

Sea cual fuere el camino adecuado para tu contexto, el secreto estriba en hacer que la adopción de la constitución sea formal y transparente. Ponla por escrito. En el caso de la adopción realizada por un director general o un jefe, descarga el pdf de la constitución de la holacracia en holacracy.org/constitution, firma al pie la «Declaración de Adopción» de una página, y luego hazla pública: todo el mundo tiene que saber que el actual titular del poder lo ha cedido formalmente. No obstante, este puede conservar el derecho a «no adoptar» la holacracia en cualquier momento y volver a la antigua manera de manejar las cosas, aunque no a invalidar las reglas constitucionales mientras tanto. Este es un aspecto esencial. Para que la holacracia tenga el potencial de desplegar toda su magia, quienquiera que adopte el sistema debe aceptar actuar de acuerdo con sus normas y no situarse por encima de la ley, en caso de tomar esa decisión de desconectar.

Cómo adoptes la constitución —y a qué nivel— determina cuál será el «circulo de apoyo» para tu organización guiada por la holacracia. El círculo de apoyo es el más general de la nueva estructura; este contiene por completo todo el trabajo que rige la constitución de la holacracia. Su propósito es definido como el propósito de la organización en general (o de la parte de ella que está adoptando la holacracia), y tiene un dominio automático sobre toda las propiedades de esa organización y todo lo demás sobre la que esta posea autoridad para controlar. Si estás adoptando la constitución a través de una política del director general, como suelo recomendar que se haga al principio, entonces tu círculo de apoyo es parecido en su composición y centro de atención a tu anterior equipo ejecutivo o directivo, y suele denominarse Círculo General de la Compañía (o CGC).

La constitución de la holacracia también puede adoptarse formalmente por un consejo de directores o equivalente y ser utilizada para regular ese consejo, en cuyo caso este se convierte en el círculo de apoyo y se aplican unas normas especiales. (Más adelante, en este mismo capítulo, abordaremos los consejos guiados por la holacracia.) La constitución puede incluso ser adoptada en los estatutos internos de la empresa (o equivalente), lo que supone una mayor fundamentación de la holacracia en la estructura de poder básica de la organización. Ahora bien, es esta una vía que no recomiendo para una organización que esté iniciando su andadura en la holacracia; si fuera algo que te gustaría considerar en alguna ocasión, busca el asesoramiento legal pertinente antes de ponerte a enredar con tus estatutos.

Hagas lo que hagas para adoptar la constitución, tendrás que aclarar cuáles son el propósito de la organización y su círculo de apoyo, y esa labor le corresponde al enlace principal del círculo de apoyo. Más concretamente, dicho enlace es responsable de «descubrir y aclarar que el máximo potencial creativo de la organización sea el más apropiado para expresarse de manera sostenible en el mundo, teniendo en cuenta todas las restricciones que lo limitan y todo lo que hay disponible para su utilización, incluidos sus antecedentes, capacidades actuales, recursos disponibles, asociados, carácter, cultura, estructura comercial, marca, conocimiento del mercado y todos los demás recursos o factores que puedan ser de interés». Esta es la definición formal que hace la constitución del propósito de una organización. Antes de que des el primer paso de tu holacracia, asegúrate de que el enlace principal del círculo de apoyo define al menos algún propósito inicial. Y no te preocupes por conseguir el propósito «perfecto» desde el principio; eso es algo que siempre se puede mejorar o ajustar más tarde, cuando surjan las tensiones sobre la definición actual y susciten la necesidad de mayor claridad.

2. Crea un sistema compartido para los registros de gobernanza

Para practicar la holacracia, necesitarás un lugar donde almacenar la actual gobernanza interina (tales como círculos, funciones y obligaciones, y la información operativa fundamental [como medidas de evaluación, listas de control, y proyectos]). Estos registros son donde la gente encontrará las expectativas y las autoridades que posee cada función; si estás practicando la holacracia adecuadamente, todos los miembros de la compañía los consultarán a menudo, incluso varias veces al día.

Es esencial que se utilice el sistema adecuado para mantener estos registros. Toda la estructura del poder se verá socavada si los registros de gobernanza no están claros ni son fáciles de consultar por todos. Algunas empresas tratan de reutilizar una aplicación de gestión de proyectos para albergar la estructura de gobernanza de la organización; esto *puede* funcionar, pero la mayoría de las herramientas de gestión de proyectos no están pensadas para almacenar los registros de gobernanza al estilo de la holacracia. Otras empresas personalizan una página web colaborativa o una solución parecida tipo Intranet, lo cual puede ser efectivo, sobre todo si tus personalizaciones pueden reforzar la estructura, campos y permisos de edición adecuadas para la información de la gobernanza. También puedes utilizar GlassFrog, que, como he comentado anteriormente, es una herramienta basada en la Red que HolacracyOne creó específicamente para apoyar la adopción de la holacracia, el mantenimiento de registros y la práctica permanente.

3. Define tu estructura inicial

Una vez que has ratificado la constitución de la holacracia y creado un sistema para guardar tus registros de gobernanza y los datos operativos fundamentales, estás preparado para determinar tu «estructura inicial», esto es, las definiciones de funciones y círculos desde los que empezarás a actuar. Mientras lo piensas, recuerda que la estructura *inicial* es sólo eso: un punto de partida. La holacracia es un sistema vivo para que hagas evolucionar tu estructura organizativa a lo largo del tiempo, y la estructura inicial cambiará a cada reunión de gobernanza. La estructura organizativa de uno de nuestros clientes al cabo de un año más o menos después de la implantación de la holacracia no suele guardar el menor parecido con la estructura con la que empezó. Esto es cierto para la mayoría de las organizaciones que utilizan la holacracia, incluso las pequeñas. Así que no te preocupes por perfeccionar la estructura desde el principio; limítate a establecer algo desde lo que empezar, de manera que puedas dar el primer paso con eficacia. El enlace principal del círculo de apoyo tiene la autoridad para definir la estructura inicial, y los vínculos principales de todos los círculos que contiene pueden hacer algún retoque en la estructura inicial dentro de su círculo antes (y sólo antes) de su primera reunión de gobernanza.

Un método habitual para describir una estructura inicial consiste en definir simplemente los círculos para representar a cualquier departamento o equipo que ya tengas en funcionamiento, y luego definir las funciones individuales dentro de cada uno para recopilar el trabajo que ya se esté produciendo claramente. A este respecto, hay que estar atento a una trampa: procura definir la estructura inicial en torno a lo que ya existe y lo que ya sucede, y no en función de lo que piensas que *debería* existir o *debería* suceder. No te pases de listo. Tu objetivo consiste en garantizar que todas las personas de la organización tengan al menos una función con la que presentarse, con al menos un propósito o una única obligación unido a esa función y que tales funciones estén agrupadas en unos círculos iniciales medianamente decentes. Básate en lo que ya está ocurriendo y, repito, no te preocupes por perfeccionarlo.

Por lo que hace a las organizaciones pequeñas (con menos de diez personas o así), vaya una última advertencia al respecto: aunque es posible que tengas muchas funciones, lo más probable es que sólo tengas un círculo. Si estás pensando en tener más, ten presente que cada uno de los «círculos» que imaginas pueden ser en realidad una función dentro de un único Círculo General de la Compañía que resulta que trabaja con otras funciones dentro de ese círculo. En las organizaciones grandes, sigue siendo útil la misma advertencia general: no definas un círculo cuando puedes funcionar sólo con una función que interactúe con las demás (incluso con las de otros círculos). Es una pauta habitual ver nuevas organizaciones que definen demasiados círculos, y esto se debe a que los que carecen de experiencia en la holacracia suelen pensar que necesitan un círculo cada vez que la gente tiene que trabajar conjuntamente. Recuerda: un círculo no tiene como finalidad «trabajar juntos», sino desglosar una función individual (p. ej., «mercadotecnia») en varias funciones secundarias (p. ej., «diario en Red», «publicidad», «actividad) que puedan ser desempeñadas por personas distintas.

En cuanto hayas determinado tu estructura inicial, el enlace principal del círculo de apoyo debería asignar las personas a las diferentes funciones dentro de su círculo, incluida la asignación de un enlace principal a cada uno de los círculos secundarios, los cuales, a su vez, procederán a hacer otro tanto dentro de sus círculos. Ahora ya estás listo para pasar al siguiente paso: tus primeras reuniones de gobernanza y las elecciones.

4. Ten las primeras reuniones de gobernanza y celebra las elecciones

Normalmente corresponde al secretario electo de un círculo programar las reuniones de gobernanza, pero antes de que un círculo haya celebrado sus elecciones, la tarea de programar una primera reunión de gobernanza recae sobre el enlace principal de cada círculo. Este también puede actuar por defecto como orientador de esa reunión, o designar a otro para que lo haga. Esa persona puede ser un orientador/ instructor externo o un orientador cualificado de la propia compañía, aunque normalmente no es un miembro del círculo.

En esta reunión inicial de gobernanza el enlace principal debería añadir al orden del día el punto de celebrar elecciones al menos para elegir un secretario y un enlace representativo. El enlace principal también está capacitado para convocar la elección de un orientador en esta reunión inicial, aunque cuando haya un orientador más experimentado o cualificado a disposición del círculo, suele ser aconsejable posponer la elección de un orientador interno hasta que los miembros del círculo se encuentren a gusto con las normas del juego y el proceso de orientación. En esta reunión, utiliza el proceso de elección integradora (véanse los detalles en la constitución) para cubrir las funciones electas, de manera que tu círculo esté ya listo para practicar la holacracia.

5. *Programa las reuniones tácticas y de gobernanza habituales*

El secretario de cada círculo ahora debería programar las reuniones tácticas y de gobernanza periódicas para el círculo. Una frecuencia de una por semana o cada dos semanas es lo habitual para las reuniones tácticas, y una semanal o mensual para las de gobernanza; al principio, suelo recomendar la celebración de reuniones más frecuentes, y no menos. Aunque este paso pueda parecer obvio, el potencial promotor de la holacracia haría bien en prestarle atención. Tan sencillo como parece, de acuerdo con mi experiencia, una de las principales causas de fracaso en la implantación de la holacracia es sencillamente el no haber programado o celebrado las reuniones fundamentales necesarias. La inercia puede ser una fuerza poderosa, y cuando un equipo sigue acostumbrado a reunirse y tomar decisiones al viejo estilo, a los miembros les resulta muy fácil dejar pasar los nuevos métodos de la holacracia y depender en su lugar de los viejos hábitos. Sustituir estos e iniciar la andadura en una nueva dirección empieza con la práctica de las reuniones tácticas y de gobernanza periódicas al estilo de la holacracia... que a su vez empieza con la programación regular y fiable de esas reuniones por parte de cada secretario.

Si sigues los pasos anteriormente descritos con cierta orientación cualificada, estarás en el buen camino para funcionar en el nuevo paradigma y estructura de poder de la holacracia. No te preocupes si al principio se te antoja difícil, lento y engorroso, es normal; de hecho, si resulta demasiado cómodo, es probable que estés haciendo algo mal. La cosa se parece mucho a cambiar el sistema operativo de tu ordenador personal por uno mejor; puede requerir un tiempo aprender un interfaz y un paradigma de utilización nuevos, pero una vez que le coges el tranquillo, agradecerás poder hacer las cosas con mucha más rapidez y fluidez. Igualmente, si la holacracia se hace bien, las reuniones se agilizan espectacularmente y se vuelven muy cómodas, pero para eso tendrás que pasar por un proceso de aprendizaje que a veces es doloroso. Al igual que muchas cosas nuevas, el método de la holacracia se hará mucho más fácil con el tiempo y la práctica, si tienes la paciencia y la disciplina para perseverar y quizá un poco de ayuda a lo largo del camino.

Más allá del Sistema Operativo: instalar y crear «aplicaciones»

Yo comparo la holacracia con un nuevo sistema operativo porque cambia la estructura del poder fundamental y el paradigma de la gobernanza en tu organización, sin especificar la manera de estructurar las funciones y procesos que esta necesita. Antes bien, la constitución de la holacracia te provee de una plataforma subyacente o metaproceso, esto es, una serie de normas fundamentales para definir, desarrollar e implantar tu proceso comercial con el paso del tiempo. Existen ciertos procesos comerciales generales que necesitan la mayoría de las organizaciones pero que la constitución no define, tales como los sistemas de remuneración y de gestión del rendimiento, los procesos presupuestarios/de control financiero y los de entrevistas y contratación. Para continuar con nuestra metáfora, todos estos podrían ser vistos como aplicaciones que operan por encima del sistema operativo subyacente de la organización, más que como funciones del sistema operativo en sí.

Incluso el proceso de reunión estratégica descrito en el capítulo 7 no forma parte del sistema operativo esencial de la holacracia; no es más que una aplicación opcional. Cualquier círculo puede «instalar» esa aplicación añadiendo una obligación a su función de secretario para programar las reuniones de estrategia, y establecer una política que transfiera a ese proceso de reuniones la autoridad normal del enlace principal para definir las estrategias. Cuando hablo de aplicaciones en la holacracia, me refiero a una colección de decisiones de gobernanza relacionadas como estas, que tal vez incluyan una o más funciones, algunas nuevas obligaciones, y un plan de acción o dos, las cuales todas juntas implanten cierto proceso necesario o función.

Del mismo modo que la mayoría de los ordenadores necesitan al menos algunas aplicaciones básicas para ser útiles a distancia (correo electrónico, calendario, navegador de Internet...), así la mayoría de las organizaciones también precisan al menos algunas aplicaciones básicas para funcionar con eficacia. El mundo empresarial está lleno de planteamientos normalizados: existe un nutrido paquete de aplicaciones disponibles para la mayoría de las actividades de las organizaciones corrientes, y multitud de escuelas de negocios que periódicamente producen graduados en masa expertos en ellas. Naturalmente, la mayoría de tales aplicaciones fueron diseñadas por empresas que funcionan con el sistema operativo de la jerarquía de la gestión, no con la holacracia. Regresando a nuestra metáfora, siempre que mejores de manera significativa el sistema operativo de tu ordenador, encontrarás que algunas de tus aplicaciones pueden seguir trabajando igual de bien, pero que otras necesitarán ser sustituidas o mejoradas. También es posible que te encuentres con que el nuevo sistema operativo ofrece nuevas capacidades, y entonces quizá quieras unas aplicaciones nuevas para sacarles provecho. De manera parecida, cuando mejoras tu organización para que funcione con la holacracia, algunas de las maneras en que has hecho las cosas en el pasado pueden encajar perfectamente en el nuevo sistema, aunque muchas otras se convertirán en fuente de tensiones, ya por entrar en conflicto con algún cambio fundamental de la holacracia, ya simplemente por no ser capaces de aprovechar completamente sus nuevas capacidades.

A modo de ejemplo, piensa en el enfoque actual de tu organización para definir las remuneraciones. Una vez que hayas cambiado a la holacracia, seguramente encontrarás que en cierta manera parece absurdo plantear las remuneraciones de una manera convencional; si no hay directivos ni jerarquía gerencial y si las funciones siempre están cambiando, ¿cómo se fijará la remuneración de alguien? Y si piensas: «Bueno, eso lo puede hacer el enlace principal», no te olvides de que las personas pueden desempeñar funciones en muchos círculos con muchos enlaces principales distintos. Aunque encuentres la manera de sortear ese problema, dejar las decisiones sobre las remuneraciones en manos de los enlaces principales provoca un retroceso hacia las relaciones de poder convencionales. En pocas palabras, si continúas con un sistema de remuneración que se parezca demasiado al que tienes actualmente, es muy probable que de resultas acabes experimentando algunas tensiones importantes, tensiones que te impedirán cambiar al nuevo paradigma de la holacracia si no las abordas. De hecho, cualquiera de tus procesos actuales que ponga en manos de los directivos las decisiones o que dependa de alguna otra manera de la jerarquía gerencial puede convertirse en fuente importante de tensión justo después de que adoptes la holacracia.

Por suerte, instalada la holacracia, cuentas con un sistema bastante bueno para procesar las tensiones y hacer evolucionar tus aplicaciones. Así que cuando sientas la necesidad de mejorar un sistema básico como el de las remuneraciones, puedes proponer simplemente la gobernanza que sea necesaria para hallar la nueva manera de hacerlo en cualquiera que sea el círculo que controle el campo pertinente. Podrías diseñar también tu propio sistema en función de tus necesidades concretas, pero es posible que te resulte de utilidad revisar lo que ya está disponible en la comunidad general de las organizaciones dirigidas por la holacracia y que consideres la adopción de una aplicación normalizada creada por otro. Para hacer esto más fácil, HolacracyOne proporciona una «tienda de aplicaciones» para la holacracia, un sitio en la Red donde los profesionales de la holacracia pueden compartir y encontrar aplicaciones generales diseñadas para lograr ciertos objetivos o gestionar actividades comunes. De hecho, sospecho que gran parte de la atención de la creciente comunidad de practicantes de la holacracia en los próximos años girará en torno a la creación de aplicaciones innovadoras para mejorar los procesos comerciales corrientes. Es algo que ya estoy viendo suceder en empresas clientes con las que trabajo, y en HolacracyOne también estamos experimentando permanentemente.

Un buen ejemplo de una aplicación que hayamos creado en HolacracyOne es la aplicación de Remuneración por las Medallas, que utilizamos para decidir a quién se le paga cuánto y por qué, y en la que cada «medalla» representa una habilidad, talento u otra capacidad específica necesaria para la organización y sus funciones, y que tiene un valor de mercado asignado. Los compañeros de nuestra empresa pueden conseguir esas medallas en reconocimiento a sus capacidades, y la remuneración está vinculada a las medallas más valiosas que se hayan ganado y se utilicen para desempeñar las funciones de la organización, mediante una fórmula normalizada. Tanto la definición de medalla como el proceso de concesión están causados por las tensiones, así que cualquiera que percibe la tensión de conseguir una nueva definición de medalla o de ser reconocido para ganar una puede iniciar un proceso para valorar la agregación o concesión de una medalla. Pero no se invierte ni un ápice de energía en definir todas las medallas perfectas desde el principio ni en valorar las aptitudes de cada uno permanentemente. El sistema de medallas permite una claridad y una evolución continuas en el momento preciso, tanto en las principales distinciones reconocidas por el sistema de compensación como en la posición de cada individuo y los niveles de remuneración dentro de ese sistema.

La aplicación también reparte las decisiones sobre las remuneraciones entre múltiples partes y procesos, a medida que las diferentes funciones van participando en cada una de las fases de definición de las medallas, valoración de las medallas y asignación de las medallas a las funciones. Puede haber un proceso exclusivo para valorar los requisitos de cada medalla individual, así que los diferentes actores se involucrarán en la valoración de la concesión de cada uno de los tipos de medalla. Algunas se pueden conceder basándose en determinados hechos o autoridades externas, como, por ejemplo, cuando se han obtenido las credenciales pertinentes. En general, esta aplicación modifica los medios habituales de «progresión», pasando de los niveles predefinidos de ascenso relativamente lineales a un proceso de creación de un perfil único de aptitudes en varias direcciones posibles, incluidas aquellas que no necesitan ser previstas o planeadas de antemano.

Esta especial aplicación para las remuneraciones implica un notable alejamiento de las normas convencionales, y algunas organizaciones no estarán preparadas para ella ni se sentirán a gusto utilizándola. No pasa absolutamente nada; en la holacracia no hay nada que exija que utilices este sistema ni ningún otro planteamiento concreto para las remuneraciones. Siempre que surjan tensiones en torno a tus métodos salariales actuales (y es muy probable que surjan), puedes procesarlas y encontrar una manera de salir adelante que sea adecuada a tu organización. A lo mejor te limitas a crear una función que fije los salarios de todos utilizando el sentido común de estos y cualesquiera que sean los niveles salariales existentes, pero mantén esa función de fijación de salarios completamente separada de cualquier función del enlace principal. De hacerlo así, supondría un avance, porque implantarías un sistema explícito utilizando la holacracia. Y todavía puede ayudar a romper la habitual asociación inicial de «jefe» y «enlace principal», de paso que deja libres a las personas para desempeñar funciones en muchos círculos sin tener que preguntarse quién determinará sus salarios.

Zappos hizo algo parecido al cabo de un año o así de practicar la holacracia, creando una función «Evaluador de aportaciones» con autoridad para establecer las remuneraciones de las personas y la obligación de recopilar las aportaciones de todo el mundo con quien alguien trabaje al hacerlo. Incluso un paso más modesto como este te hace trascender el enfoque convencional y sirve para reforzar, y no resistirse, a los demás cambios que permite la holacracia. De hecho, nos gustó tanto el enfoque de Zappos como paso inicial que creamos una aplicación genérica basada en él y la publicamos en la tienda de aplicaciones.

Otro ejemplo de aplicación compatible con la holacracia provino de un cliente que encontró que surgían tensiones en torno al sistema de gestión del rendimiento de la organización. En un principio, el sistema se basaba en un antiguo paradigma, donde los antiguamente llamados jefes seguían evaluando a los miembros de sus equipos en función de diversos elementos de la descripción del puesto para el que había sido contratado el empleado. Pero ahora las expectativas eran mucho más dinámicas, porque cada reunión de gobernanza tenía posibilidades para remodelar las funciones y cambiar las obligaciones de la gente. Además de eso, ya no estaba claro qué es lo que era un «jefe» y por qué esas personas estaban desempeñando esa función. Tales dificultades inspiraron al cliente para crear una nueva aplicación de gestión del rendimiento.

Así las cosas, crearon una herramienta informática interna que permitía que cualquier miembro de un equipo aportara observaciones sobre el cumplimiento de las obligaciones concretas de cada una de las funciones que desempeñaba otro miembro del equipo. La herramienta sacaba las definiciones de las funciones en tiempo real siempre que empezaban las observaciones, de manera que estas siempre estuvieran basadas en las obligaciones actualizadas, aun cuando cambiara la gobernanza. Cuando el responsable de la función de actualizar el salario de alguien estaba preparado para evaluar el rendimiento, podía utilizar esta herramienta para buscar las aportaciones de todos los que trabajaban realmente con esa persona, además de revisar cualquier observación capturada históricamente a lo largo de los meses previos al informe. La herramienta también permitía que en cualquier momento los individuos buscaran de manera dinámica las observaciones sobre sí mismos, solicitando que sus compañeros de equipo realizaran la valoración de una o más de sus actuales funciones. Esta información también se almacenaba y permanecía a disposición de todos para su siguiente informe de rendimiento.

Al parecer, este planteamiento funcionó bastante bien para esta empresa, aunque, repito de nuevo, se trata tan sólo de una posibilidad más. Es cosa tuya encontrar o crear las aplicaciones adecuadas para tu organización. En general, las mejores aplicaciones para una organización regida por la holacracia son aquellas que sacan provecho de las capacidades exclusivas del sistema operativo y funcionan con ellas en lugar de resistirse a ellas. En otras palabras, son aplicaciones compatibles con la estructura organizativa dinámica y flexible de la holacracia y su cambio para distribuir el poder y hacer que la gente desempeñe muchas funciones en diversos círculos; esto es, respetan la diferenciación entre función y espíritu, y no dependen de los jefes ni de las viejas jerarquías. Puede que algunos de tus actuales sistemas estén bien y libres de tensiones, al menos durante algún tiempo, en cuyo caso no necesitas cambiarlos. Siempre que surjan tensiones, procésalas por medio del sistema de gobernanza de la holacracia y cambia algo; desarrolla las aplicaciones de tu organización con el paso del tiempo, guiándote por las verdaderas tensiones.

Un consejo guiado por la holacracia

Si tu organización ha decidido adoptar la holacracia a través de una política del director general, entonces tu consejo de administración o equivalente no se verá notablemente afectado, al menos al principio. Pero también es posible utilizar la holacracia a nivel del consejo, siempre que este paso te parezca lógico y la constitución incluya algunas normas especiales para ayudarte a sacarle el mayor partido posible a la adopción a nivel de consejo. Estas normas también abren algunas nuevas posibilidades interesantes para la representación y toma de decisiones a este nivel, e incluso pueden cambiar tu opinión acerca de la función de un consejo.

En primer lugar, echemos un vistazo a la estructura de un consejo regido por la holacracia. Normalmente, cuando un consejo adopta la holacracia se convierte en el círculo de apoyo de la organización, al tiempo que delega la mayor parte del trabajo cotidiano en un Círculo General de la Compañía, a veces el único círculo secundario del consejo. Este designa un enlace principal para el CGC de la manera habitual, aunque el propio consejo actúa sin un enlace principal. La constitución permite un círculo de apoyo análogo a un consejo que renuncie a tener enlace principal. Además de los procesos habituales que la holacracia define para un círculo, la constitución proporciona una norma especial para este caso: las autoridades y decisiones que generalmente invisten a un enlace principal quedan en manos en su lugar del Proceso de Toma de Decisiones Integrador, repartido entre todas las funciones del círculo. Esta estructura seguramente esté muy cerca de la que estuviera implantada antes de la holacracia; suele haber múltiples directores en un consejo aunque ningún titular único del poder con autoridades parecidas a las de un enlace principal. Lo que probablemente será diferente es que ahora el consejo tendrá un proceso mucho más claro y eficaz en cuanto a su manera de funcionar, tomar decisiones y delegar la autoridad a sus funciones o al CGC.

Ahora bien, antes de que se puedan tomar decisiones, hay que definir una función para cada uno de los miembros del consejo. En ausencia de un enlace principal, la constitución exige al menos un enlace cruzado que lo sustituya, y cada uno de los miembros formales del consejo generalmente desempeñará la función de enlace cruzado, además de otras, posiblemente, a nivel de consejo. Si te acuerdas, los enlaces cruzados son el tercer tipo de enlace de la holacracia, que se utilizan normalmente para invitar a una entidad externa a estar representada dentro de un círculo. En este caso, cada uno de los enlaces cruzados del consejo puede representar el propósito e intereses de otra organización o grupo de partes interesadas.

Así, podrías decidir tener una única función de enlace cruzado que representara a los inversores de la organización, asignándole dicha función a cada uno de los miembros del consejo. En este caso, la estructura del consejo se parecería mucho a la de un consejo convencional, sólo que con unos procesos de toma de decisiones mejorados. Sin embargo, también podrías escoger tener múltiples funciones de enlace cruzado, con algunos que representaran a los contextos principales o grupos de partes interesadas importantes de tu organización que no fueran los inversores, y aquí es donde las cosas se ponen especialmente interesantes.

Tradicionalmente, un consejo representa los intereses económicos de las partes interesadas (en una entidad con ánimo de lucro) o el propósito social de la organización (en una entidad sin ánimo de lucro). En los últimos años, se ha escrito mucho acerca del poder de las compañías con ánimo de lucro que se mueven hacia una «orientación de las partes interesadas», donde la organización se centra en atender a todos los grupos de sus partes interesadas principales, y no sólo a los inversores: vendedores importantes; clientes; empleados; la comunidad local; el medio ambiente. Pero, aunque muchas organizaciones han adoptado ya estos valores, las estructuras de sus consejos han permanecido inalterables en buena medida. Y esto tiene realmente lógica, porque un consejo de múltiples partes interesadas dentro de una estructura de poder del consejo convencional podría convertirse fácilmente en un callejón sin salida o en una «tiranía de la mayoría». Incluso John Mackey, director general de Whole Foods, que es un defensor y profesional modélico de la orientación de las partes interesadas, me dijo un día, comiendo, que tenía sus prevenciones acerca de los consejos de múltiples partes interesadas porque tendían a disminuir la protección de los inversores, cuando estos ya son legalmente los últimos de la fila, por detrás de las demás partes interesadas, a la hora de cobrar.

Sin embargo, con la holacracia implantada, un consejo de múltiples partes interesadas podría llegar a ser viable y eficaz sin disminuir de manera significativa la protección de los inversores, gracias al poder de las normas de la holacracia y su proceso de gobernanza integradora para garantizar que todas las tensiones y objeciones sean procesadas, incluso aquellas que provienen de una opinión minoritaria. Es demasiado pronto para que pueda hacer esta afirmación basándome en la experiencia —todavía no hay suficientes casos—, pese a lo cual me parece que se trata de una posibilidad fascinante.

Una posibilidad todavía más interesante surge cuando hay otra organización en tu ecosistema que está relacionada con tu propósito o con uno de los grupos de tus partes interesadas. Entonces, podrías invitar a esa otra organización a nombrar un enlace para tu consejo, creando así un enlace cruzado multiorganizativo. Por ejemplo, además de los enlaces cruzados que representan a los inversores, los clientes y los empleados/asociados de la organización, quizá podrías invitar a la otra organización que representa a tu sector industrial o movimiento general relevante a que nombre un enlace cruzado dentro de tu empresa, y tal vez pedirle en contrapartida nombrar tú uno en la suya. Si, de esta manera, tus partes interesadas tuvieran una influencia más directa en su empresa, puede que estas pudieran ayudar a la organización a ser más constructiva y digna de confianza en su mundo, y de paso a expresar mejor su propósito. Repito que esto no es más que una mera especulación. Podría terminar siendo una idea atroz, así que ve con cuidado si decides experimentarla. Aunque, tomemos el camino que tomemos, veo un potencial enorme en un ecosistema de organizaciones movidas por el propósito interrelacionadas por saludables matrimonios con otras organizaciones movidas por el propósito, y todas procesando las tensiones más allá de las fronteras de cada organización.

Decidas como decidas llenar tu consejo, la holacracia también reestructura el propósito de administración de la organización por parte del consejo. Con la holacracia adoptada a este nivel, el consejo no existe para administrar la empresa en beneficio de sus partes interesadas, ni siquiera en el de todas, sino más bien para administrar el de la organización en sí; en otras palabras, existe para expresar el propósito de la organización. Curiosamente, esto hace que la diferencia entre con ánimo de lucro y sin ánimo de lucro pierda importancia. Las organizaciones que funcionan con la holacracia se mueven ante todo por el propósito, independientemente de cuál sea su estructura fiscal, y en ellas todas las actividades están encaminadas a realizar el propósito general de la organización. Entonces todos los miembros se convierten en sensores de ese propósito, y las normas del proceso de gobernanza de la holacracia garantizan que no pueda imponerse ningún interés individual.

Con una diversidad de perspectivas en vigor y un proceso para integrarlas, el consejo está ya en condiciones de afrontar las cuestiones tanto en dificultad como en profundidad. ¿Qué es lo que el mundo necesita que sea esta organización, y qué es lo que esta necesita ser en el mundo? ¿Cuál es su único propósito, su contribución para aportar algo novedoso a la vida, para fomentar la creatividad y la evolución? Las necesidades de las partes interesadas y de otros actores siguen constituyendo unas limitaciones importantes, pero instalada la holacracia, este es el propósito más profundo que en última instancia gobierna y hace avanzar a la organización. Igual que los padres que educan a un hijo para que encuentre su identidad, el consejo guía a la organización por su senda vital para que encuentre y exprese su impulso creativo más profundo, en armonía con todas las partes interesadas más importantes.

Cuando la holacracia no dura

La holacracia no sirve para todo el mundo; realmente he visto organizaciones donde no ha durado, y en número suficiente para que haya observado determinados patrones. Echemos un vistazo a las tres situaciones más habituales, a las que he denominado «El jefe reacio a liberarse», «La clase media nada colaboradora» y «El síndrome del frenado en seco».

El jefe reacio a liberarse

El paso esencial para que un jefe efectúe la transición a la holacracia es el de desprenderse del poder y permitir los procesos para distribuir la autoridad que ostentó otrora por toda la organización. Dado que este desplazamiento del poder es esencial, la adopción de la holacracia fracasará si el jefe no está preparado para dar el salto. Es comprensible que muchos titubeen, sobre todo aquellos que han hecho grandes sacrificios para guiar a sus empresas hasta ese momento. La mayoría, con la ayuda adecuada, realizan esta delicada transición, pero para algunos la cosa resulta insoportable. A veces, el dirigente de una organización no está sencillamente preparado para volver a ser un «principiante» que deba aprender una nueva manera de ejercer la autoridad e influir en los demás.

A menudo, un dirigente así deja sencillamente de participar. Es posible que alabe de boquilla los principios de la holacracia, pero sigue actuando al viejo estilo y realmente no respeta las nuevas reglas del juego. La disonancia resultante no puede pasar inadvertida durante mucho tiempo. De hecho, en estos casos lo interesante es que cuando una empresa ya ha empezado a practicar la holacracia, la brecha entre las palabras y los actos del líder es muy patente. Al contrario que en una estructura tradicional, donde las reglas del juego suelen estar implícitas en la cultura, y el desajuste puede ser traicionero, en la holacracia se da una transparencia natural, dada la serie de normas explícitas y cohesionadas que se explicitan en la constitución. Esto hace que sea mucho más transparente para todo el mundo cuando alguien no sigue las reglas.

Llegados a este punto hay dos opciones. Como he explicado anteriormente, una vez que el dirigente adopta formalmente la constitución de la holacracia, automáticamente se desprende del derecho a cambiar las normas, aunque sí conserva la capacidad para anularlo todo y rechazar la transformación. Algunos jefes encuentran la fuerza para liberarse en este momento, aunque este es también el instante en el que la adopción puede detenerse precipitadamente.

No es mi intención ser demasiado crítico con esos dirigentes: entregar el poder a un nuevo proceso desconocido es un gran paso, y muchos tienen buenas razones para decidir no hacerlo. El fundador de una pequeña empresa incipiente me contó que tenía miedo de que su organización y su equipo no fueran lo bastante maduros y estables para organizarse a sí mismos con eficacia sin un liderazgo fuerte al frente. Igual que un padre que teme que su hijo no sea lo bastante fuerte o vigoroso para marcharse de casa todavía, este presidente quería esperar a que su empresa y equipo directivo hubiera adquirido más fuerza y experiencia, antes de seguir adelante con un cambio tan grande. He visto funcionar estupendamente la holacracia en esa clase de entornos, así que me mostré un poco escéptico, aunque respeté su decisión: conocía su empresa y su equipo mejor que yo, y la decisión era cosa suya. De hecho, cuando a los directores generales que tengo como clientes se les atraganta la transición, a menudo soy el que les recuerda que pueden abandonar la holacracia en cualquier momento; incluso les animo a que al menos consideren esa opción. Mejor que miren a los ojos esa decisión y la tomen conscientemente, sea cual sea el lado por el que se decanten, que no que socaven sutilmente el intento porque no se han comprometido con el cambio que requiere.

La clase media nada colaboradora

En otra situación que he presenciado algunas veces, el director general está comprometido y actúa siguiendo las normas, pero los ejecutivos situados un nivel por debajo no colaboran, cuando no se muestran abiertamente reacios al cambio. Cierto grado de reticencia y escepticismo es normal y cabe esperarlo al principio de una adopción; de hecho, suele ser una señal saludable de preocupación por la organización. Pero si se quiere tener éxito en la implantación de la holacracia, la organización tendrá que acabar con esa resistencia y asegurarse de que sus miembros se ajustan a las nuevas normas en la medida de sus posibilidades, empezando por aquellos que ocupaban antiguos puestos de poder que de lo contrario podrían socavar el cambio.

Acabar con esta resistencia es más un arte que una ciencia, y suele requerir una combinación de claridad en el mensaje y en el liderazgo, por ejemplo del director general; la formación y apoyo adecuados para ayudar a los antiguos ejecutivos a aprender cómo utilizar las nuevas reglas para hacer el trabajo; y unos sistemas humanos actualizados (aplicaciones) que refuercen las nuevas normas y desanimen a su evitación. Por lo general, si todo esto está funcionando, la resistencia se desvanece. Cuando, en ocasiones, no lo hace, los resistentes suelen ser ejecutivos que están realmente aferrados a sus viejas costumbres y les va muy bien en ese paradigma, aunque también he observado una resistencia fanática en aquellos que ascendieron rápidamente en el escalafón empresarial al principio de sus carreras profesionales. Si sólo es una o dos personas las que se muestran reacias, la presión de sus iguales suele bastar para disuadirles, o pueden sin más decidir seguir adelante, aunque si existe una importante masa crítica de ejecutivos que no colaboran, la adopción de la holacracia puede paralizarse.

Un director general, que se enfrentó a una rebelión parecida a esta de la mayoría de sus altos ejecutivos y que al final dio marcha atrás, abandonando la holacracia por completo, admitió que «estaba gastando demasiado capital político tratando de que mi equipo directivo siguiera adelante con ello». En consecuencia, decidió recortar sus pérdidas y volver a dirigir la empresa de una manera que sus ejecutivos principales apoyasen.

A mi modo de ver, este tipo de escenarios son especialmente probables en organizaciones donde haya menos cohesión entre el equipo directivo, o puede que sólo menos cohesión cultural en general; un entorno así deja un margen más amplio para que los resistentes vayan en contra de la dirección general de la empresa. Curiosamente, tales empresas son las que probablemente se podrían beneficiar más de un sistema como la holacracia, porque les proporcionaría un proceso de cohesión sin exigir que los individuos diluciden todas sus diferencias de la noche a la mañana.

En una empresa más cohesionada, puede ser más fácil hacer el cambio, pero incluso los equipos más armónicos y unificados a veces se encuentran rompiéndose en pedazos cuando se enfrentan a la inseguridad de un cambio de paradigma como el que supone la adopción de la holacracia, y no es necesariamente una señal de debilidad que sean incapaces de hacer tal cambio. Ocurre que a veces el momento no es el adecuado, o que el sistema no es el indicado para ese equipo en particular.

El síndrome del frenado en seco

Esta puede que sea la situación más traicionera. Suele darse en empresas que creen que ya han instalado la holacracia a satisfacción. Durante un tiempo, todo parece mejor: las reuniones se hacen más eficientes, las personas entienden mejor sus funciones, hay medios para procesar las tensiones y un espíritu emprendedor general impregna toda la oficina. Y entonces, lenta y casi imperceptiblemente, el cambio empieza a desvanecerse. La gente empieza (o continúa) a buscar a los antiguos jefes para que les orienten y les den una señal de aprobación antes de tomar las decisiones importantes. Los antiguos jefes empiezan (o continúan) a actuar como tales, y poco a poco van dejando de prestar atención a los resultados de las reuniones de gobernanza. Todo el mundo empieza (o continúa) haciendo acuerdos bilaterales, fuera de las reuniones de gobernanza, sobre la manera de trabajar juntos, y utilizan la gobernanza sólo para formalizar tales decisiones... y luego, al final, ni siquiera eso. Sí, las reuniones siguen siendo mejores, pero ¿es la experiencia de trabajar en la organización tan distinta a como era antes?

Las empresas así acaban, a menudo sin ni siquiera darse cuenta de ello, sólo con una parte de las ventajas que la holacracia puede ofrecer. Algunas seguirán afirmando que practican la holacracia, pero en el mejor de los casos se trata de una versión descafeinada, una mejoría superficial en la eficiencia y la claridad sin el cambio de paradigma más profundo.

Habitualmente, esto sucede porque el proceso de adopción se paró en algún punto del camino, antes de que la holacracia estuviera totalmente implantada como una estructura de poder sustitutiva. Las más de las veces, el declive empieza después de que las partes esenciales estén en funcionamiento —la constitución, las funciones, los procesos de reunión— y llega el momento de actualizar los viejos sistemas y procesos que ya no son muy compatibles con la nueva estructura de poder. Aquí es donde las aplicaciones de la holacracia entran en juego; es en este momento cuando necesitas reconsiderar tu manera de hacer cosas como contratar y despedir, o las remuneraciones. Si te frenas antes de ocuparte de estas difíciles cuestiones y encontrar unas soluciones adecuadas, acabarás con los procesos de reuniones de la holacracia superpuestos a un sistema de poder que en su mayor parte sigue sin cambiar. Si los «antiguos» directivos siguen teniendo un poder autocrático para despedir a la gente y fijar los salarios, por ejemplo, a los miembros de los equipos les resultará difícil romper con los viejos hábitos y correr el riesgo de ostentar su autoridad y desafiar a los directivos en aquellos aspectos que son esenciales para el cambio de poder de la holacracia.

Para llevar la holacracia hasta el final, es esencial no perder de vista el objetivo último, que no es otro que un sistema de autoridad distribuido entre los iguales. Conseguir eso exige el compromiso de garantizar que el cambio quede reflejado no sólo en la clase de reuniones que celebras, sino en la manera en que se ostenta el poder y se utiliza a diario, así como en los sistema humanos y procesos esenciales de la organización. Sin ese compromiso, acabarás con algo que será ligeramente mejor de lo que tenías antes y que, en la mayoría de los casos, acaba siendo insostenible. Es esta una situación en la que es demasiado fácil retroceder, a menos que te comprometas a arrancar de raíz la vieja y persistente estructura de poder en la sombra y a reforzar la nueva en aspectos tangibles.

También es fundamental que tengas presente que muchas organizaciones que encajan en este patrón siguen siendo optimistas acerca de los cambios que han realizado y experimentan muchos resultados positivos. Pero detesto ver que las personas desperdician todas las ventajas de la inversión que han realizado al adoptar la holacracia.

He visto la situación del frenazo en seco mezclada con la de la «clase media nada colaboradora» para originar un fracaso especialmente decepcionante. El director general de la organización estaba plenamente identificado y entusiasmado, pero quizá demasiado seguro sobre lo que el cambio iba a exigir. Su equipo directivo se mostraba escéptico, un poco reacio, pero dispuesto a darle una oportunidad a la holacracia. Al principio, todo parecía estar yendo bastante bien. La gente lo entendía, las reuniones discurrían con más fluidez, el trabajo se estaba haciendo con más eficacia y los agoreros parecían tranquilos. Pero la estructura del poder en la sombra seguía siendo fuerte, donde los antiguos jefes seguían actuando en buena medida como jefes entre bambalinas. Además de todo eso, los miembros del equipo que controlaban los sistemas humanos no estaban interesados en cambiarlos, lo cual exacerbaba el problema y permitía que la estructura de poder en la sombra siguiera controlando muchas funciones. El director general y quizá uno o dos de los otros podrían haber sido capaces de resolver estos problemas si hubieran tenido tiempo y energía, pero a la sazón la organización tenía que habérselas con tantísimos problemas más, que este no recibía mucha atención.

Al cabo de muchos meses de lo que parecía un avance constante, las grietas empezaron a aparecer. La gente se empezó a preguntar cuántas cosas habían cambiado en realidad, cuestionando si de verdad necesitaban todas aquellas normas. Curiosamente, los ejecutivos que se habían resistido a actualizar los sistemas fundamentales utilizaron esta circunstancia como mecanismo de presión para rechazar la holacracia de plano, señalando todos los problemas a los que se enfrentaban porque la implementación a medias estaba pasando por alto aspectos fundamentales. Al final, la resistencia fue excesiva, e incluso el comprometido director general tuvo que abandonar antes de que él y su equipo directivo se distrajeran más.

Estas tres situaciones, o algunas combinaciones de ellas como en el caso anterior, son las que observo con mayor frecuencia entre las adopciones fallidas de la holacracia. Es posible que haya una cuarta situación, la cual no observo directamente porque se produce en empresas que, para empezar, no generan suficiente capacidad interna para facilitar una adopción fructífera. En estos casos, la gente suele subestimar la magnitud del cambio y la plantean con exceso de confianza y falta de apoyo, o simplemente se olvidan de promulgar las normas fundamentales que mantienen unido todo el sistema.

Dicho esto, la mayoría de las implantaciones de la holacracia de las que he sido testigo parecen haber acabado en una transformación duradera, al menos cuando se combina con un compromiso claro de cambiar con un apoyo externo o una experiencia interna sólidos. Pero es conveniente entender los patrones que dan lugar al fracaso, de manera que podamos evitar los peligros más comunes, manejar los problemas y en última instancia cosechar las ventajas del sistema de autoridad distribuida entre iguales que libera nuestra creatividad, autonomía y adaptabilidad.

9

SI NO ESTÁS PREPARADO PARA ADOPTAR: AVANZAR HACIA LA HOLACRACIA

«Los límites de mi lenguaje suponen los límites de mi mundo.»

—LUDWIG WITTGENSTEIN, *Tractatus Logico-Philosophicus*

Al terminar mi exposición en una reciente conferencia sobre empresas, un hombre que frisaba la treintena se me acercó corriendo para hablar conmigo en cuanto abandoné el estrado. Reconocí su cara, porque había estado sentado en la primera fila, escuchando atentamente y tomando notas mientras yo hablaba.

Su pregunta la había oído ya muchas veces: «¿Hay alguna manera de que pueda utilizar algunas partes de la holacracia sin tener que adoptar todo el sistema?» Le respondí como suelo, la misma respuesta que he dado en este libro: «Lo siento, pero no. La holacracia es un sistema interconectado integralmente. Si intenta coger una parte sin el resto, no obtendrá los beneficios del cambio de paradigma. Si quiere experimentar el poder de la holacracia, tiene que coger el lote completo».

El joven pareció decepcionado. «Me es imposible hacer eso —contestó—. Sólo soy un directivo medio en una gran empresa muy tradicional, y es imposible que pueda convencer a mis jefes para que acometan una reorganización completa y se desprendan de su poder, sobre todo a favor de un sistema del que no han oído hablar en su vida.

Dudo siquiera que me autoricen a utilizar la holacracia sólo en mi departamento. Pero tiene que haber algo que pueda hacer, algún medio sencillo de cambiar mis propios hábitos de trabajo y la manera en que dirijo mi pequeño equipo que se acerque un poquito a la holacracia.»

Su sinceridad me dejó un tanto inquieto. No obstante, me reafirmé en mi respuesta original: la holacracia sólo funciona cuando se adopta como un sistema completo, aunque sea sólo en una pequeña parte de la organización. ¿Pero iba a ser ese el final de la conversación? ¿La holacracia sólo iba a ser relevante para aquellos con el poder para cortar el bacalao a escala organizativa? ¿No tenía nada que ofrecer a un individuo animoso con un poder limitado que quería hacer lo que estuviera en sus manos para cambiar las cosas a nivel personal? Aquello no me pareció bien. En otro tiempo yo había sido ese sujeto, con un montón de niveles directivos por encima de mí, ninguno de los cuales tenía tiempo para escuchar mis preocupaciones e ideas, para qué hablar de convertir mis tensiones en un cambio significativo. A la sazón, si hubiera oído hablar a alguien de un cambio de paradigma como el de la holacracia, y hubiera querido empezar a utilizarlo en la medida de mis posibilidades, ¿habría aceptado un no por respuesta?

Al final, le hice a mi interlocutor algunas sugerencias sobre lo que podía utilizar de la holacracia para mejorar su trabajo. Luego, me puse en contacto con mis colaboradores para preguntar qué era lo que los demás estaban utilizando de la holacracia cuando no podían aplicar todo el sistema. Ahora creo que hay bastantes cosas útiles incluso sin la transformación completa; de hecho, me di cuenta de que había estado sacando provecho de aspectos de la holacracia en mis relaciones personales y otros ambientes que no estaban practicando todo el sistema.

Después de estas experiencias, decidí elaborar una respuesta más satisfactoria para esa pregunta habitual, y contarla en este libro: esa es la finalidad de este capítulo. Dicha respuesta viene acompañada, claro está, de la misma advertencia que le hice a mi amigo de la conferencia: utilizar partes de la holacracia no es utilizar la holacracia, y si hay alguna posibilidad de que adoptes todo el sistema, casi siempre te recomendaría que lo hicieras. Ahora bien, si trabajas en una empresa que sencillamente no puede, o no quiere, considerar una adopción total en este momento, he aquí algunas maneras en las que las enseñanzas de la holacracia podrían beneficiarte a ti y a tu equipo, y quizá, andando el tiempo, inspirar al resto de tu empresa para que considere convertirse en una organización regida por la holacracia.

Mi consejo para aquellos que todavía no pueden o no están preparados para adoptar por completo la holacracia se divide en cuatro categorías:

1. Cambia tu lenguaje, cambia tu cultura.
2. Reformula las descripciones de tus funciones.
3. Trabaja *para* tu organización, no sólo *en* ella.
4. Racionaliza tus reuniones.

Si eres capaz de dar alguno de estos pasos, o todos, sospecho que notarás la diferencia con bastante rapidez, al menos sobre tu pequeño equipo o en su seno. Sin embargo, debo advertirte que probablemente también adquirirás una aguda conciencia de hasta qué punto la cultura corporativa y la estructura que te rodean son contrarias a la holacracia, en comparación con la nueva cultura y hábitos que estás empezando a cultivar. Pero puede que los demás acaben reparando en lo mismo, y (al final) encuentres aliados para introducir de manera integral la holacracia en la empresa.

Cambia tu lenguaje, cambia tu cultura

Se dice que obras son amores, y no buenas razones, pero a veces nos sentimos inclinados a pasar por alto la fuerza de las palabras que escogemos. El lenguaje acostumbra a verse como la expresión verbal de la cultura, aunque aquel también puede crear esta. Al desarrollar la holacracia, he invertido un tiempo considerable escogiendo los términos que signifiquen lo que pretendo transmitir y que no susciten las viejas y habituales reacciones y asociaciones. Con frecuencia he oído a experimentados profesionales de la holacracia decir que encuentran tales términos tan útiles que han empezado a utilizarlos incluso fuera del lugar de trabajo, cambiando la cultura en sus familias y también en otras relaciones; realmente, yo he hecho lo mismo. Intenta adoptar algunos de esos términos en las comunicaciones diarias con tu equipo y verás cómo eso cambia tu experiencia de trabajar juntos.

Tensiones y procesamiento de las tensiones. Intenta sustituir los términos «problemas» y «soluciones» por los de «tensiones» y «procesamiento». Los seres humanos parecen estar programados para posponer hasta el último momento el ocuparse de las cosas que perciben como problemas, así que el uso de ese lenguaje «negativo» en relación a los asuntos de la empresa puede crear una cultura de evitación o de temor innecesario. «Tensión», en el sentido que se utiliza en la holacracia, es un término neutral que simplemente significa *la percepción de un desfase específico entre la realidad actual y las posibilidades percibidas*. Una tensión no es un «problema», y no necesita forzosamente una «solución»; antes bien, indica la existencia de una oportunidad para acercar un poco la manera en que están las cosas en el momento actual a la forma en que *podrían* estar, lo cual suele ser un cambio a mejor. La holacracia utiliza el término «procesamiento» para describir esta transición, huyendo de la idea de que hay un resultado final y corregido, y transmitiendo en su lugar la posibilidad de un trayecto abierto de mejoría y adaptación permanentes.

Propuestas en lugar de problemas. Un cambio que va de la mano de lo que acabo de describir es el de adquirir el hábito de aportar «propuestas» en vez de sólo lamentaciones. Cuando percibes una tensión, da el siguiente paso y pregúntate: «¿Qué mejoraría esta situación? ¿Qué podría proponer?» Anima a tu equipo a que haga otro tanto. La propuesta no tiene que ser la «solución» perfecta; es sólo una manera de empezar la conversación desde un lugar creativo y dinámico, en lugar de hacerlo desde uno negativo.

¿Alguna objeción? La siguiente ocasión que te sorprendas buscando la aprobación de tu equipo en relación a una decisión, prueba a cambiar la manera de comunicarte. No preguntes: «¿Estáis todos de acuerdo?» ni «¿Os gusta a todos mi propuesta?» Estas preguntas sientan las bases para que tengas un largo y tedioso debate. En vez de eso, pregunta: «¿Alguien ve alguna objeción a esta propuesta?» Y define objeción como «una razón para que esta propuesta causase algún perjuicio o nos hiciera retroceder». Otra manera de formular la pregunta sería: «¿Alguien ve alguna razón para que no sea lo bastante seguro intentarlo, sabiendo que podemos revisar la decisión si no funciona?»

Este sencillo cambio en el lenguaje puede ahorrar una enorme cantidad de tiempo y hacer que el proceso de toma de decisiones sea mucho menos engorroso.

Funciones frente a personas. Cuando estés asignando las acciones o proyectos a los miembros de tu equipo, procura referirte a tales acciones o proyectos como algo que es asignado a la función en particular que esa persona está desempeñando. Esto ayuda a separar el frecuente binomio «función y espíritu» y en consecuencia separa las tensiones que surgen a veces de esa combinación.

Dirección dinámica. También te puede parecer que el lenguaje de la dirección dinámica, que expliqué en el capítulo 7, es útil para hacer que tu equipo pase de la mentalidad del predice y controla a una que sea más receptiva y adaptable y con menos parálisis analítica.

Reformula las descripciones de tus funciones

Cualquier organización, utilice o no la holacracia, tiene que dejar claro a quién pertenece qué y quién está obligado a qué. Quizá podrías adoptar el estilo de definir las funciones de la holacracia (para más información, véase p. 52) aunque no estés adoptando todo el sistema. Recuerda que una función no es una persona, y que una persona puede —y seguramente lo haga— desempeñar varias funciones. Diferenciar estas funciones y las obligaciones que conllevan puede contribuir sobremanera a formular explícitamente las expectativas y evitar entrometerse en el territorio de los demás. Si eres jefe, puedes hacer esto para tu equipo, o simplemente para ti, a fin de aclarar lo que se espera de ti y describir explícitamente las muchas funciones que desempeñas, probablemente una detrás de otra.

Recientemente, un colega me contó una historia acerca de una sucursal de una gran organización tradicional con una cultura muy conservadora que «únicamente» decidió aclarar las funciones y obligaciones, y ocasionalmente debatir las tensiones, para hacer visibles las expectativas implícitas y modificar dichos roles y obligaciones. Incluso utilizar esta única parte de la holacracia tuvo unos resultados gratificantes: la empresa observó una disminución notable en los gastos derivados de la contratación de asesores externos en desarrollo organizativo y una reducción espectacular en el tiempo que la gente invertía en las reuniones.

Para empezar a aclarar tus propias funciones o las de tu equipo, simplemente divide tu trabajo o el de tu equipo en distintas partes, y luego describe cada una con sus obligaciones claramente delimitadas. Por ejemplo, es posible que siempre hayas considerado que tu trabajo es el de «Director de Mercadotecnia», aunque de hecho puede que desempeñes diversas funciones distintas dentro de ese amplio campo: eres gestor de la página web, escritor, narrador, redactor, corrector, y todo lo demás, y cada función tiene su grupo diferente de obligaciones relacionadas.

Una palabra de advertencia acerca de las definiciones de las funciones: dentro del sistema de la holacracia, las funciones están evolucionando permanentemente por medio del proceso de gobernanza para que las descripciones sigan siendo relevantes y útiles. En ausencia de ese proceso, el peligro estriba en que tus definiciones de las funciones se queden obsoletas rápidamente, igual que las descripciones tradicionales de los puestos de trabajo que viven en un cajón cogiendo polvo, tan alejadas de las necesidades y realidades de las actividades cotidianas de las personas. Las funciones sólo son útiles en la medida que sean reales, así que asegúrate de revisarlas y actualizarlas continuamente. Todo lo cual nos lleva a mi siguiente consejo.

Trabaja para tu organización, no sólo en ella

No caigas en la clásica trampa en la que según Michael Gerber, autor de *El mito del emprendedor*, caen la mayoría de los emprendedores: trabajar en tu empresa en lugar de para ella. Puede que no seas un emprendedor con poder para tomar decisiones en tu empresa, pero sea cual fuere tu posición en la jerarquía organizativa, existen maneras de que puedas trabajar para ella y no sólo en ella. O para decirlo en el lenguaje de la holacracia, puedes participar en la gobernanza.

Si la gobernanza no es algo que estés acostumbrando a hacer, es importante que saques tiempo y espacio para el proceso, que es independiente de tu trabajo operativo. Una manera sencilla de poder usar ese tiempo, como acabo de mencionar, consiste en revisar y actualizar las descripciones de tus funciones. También puedes dedicar algún tiempo a definir las tensiones que hayas experimentado y a pensar en algunas sencillas propuestas para procesarlas que podrías sugerir a tu equipo o jefe. Si tú mismo eres jefe, también podrías revisar y actualizar las descripciones de las funciones de tu equipo basándote en la experiencia real de trabajar juntos. Quizá carezcas de la capacidad de convocar una reunión de gobernanza, pero si dedicas tiempo y atención a mejorar la manera en que tu equipo trabaja conjuntamente, estás participando en la gobernanza.

Asimismo, puedes hacer público que vas a hacer esto e invitar a tu equipo a que te hagan saber si perciben tensiones que pudieran conformar tu proceso. Esto contribuirá a que todos empiecen a adquirir conciencia de los asuntos de gobernanza y a promover una mentalidad emprendedora en relación a sus funciones y responsabilidades. Intenta aplicar el planteamiento que escogió Gonzales-Black, de Zappos: pide a tus colegas que se pregunten: «¿Qué haría si esta fuera mi empresa?»

Racionaliza tus reuniones

Si hay una cosa que la mayoría de las personas de todos los niveles dentro de una organización suelen contar, es la odiosa pérdida de tiempo en largas reuniones ineficaces. Y si hay algo que casi todos los que practican la holacracia destacan al final, es el enorme alivio que sienten gracias a los racionales y eficaces formatos de las reuniones. Mientras que algunos procesos de reuniones de la holacracia, como las reuniones de gobernanza, no funcionan bien como no sea en una empresa que haya adoptado la constitución, otros pueden ser útiles en cualquier parte, total o parcialmente.

El mejor ejemplo es el formato de las reuniones tácticas (véase p. 106). El planteamiento de la holacracia de «priorizar» los problemas y centrarse en «una tensión cada vez», ayuda a los participantes a alcanzar rápidamente una solución viable que satisfaga en primer lugar a la persona que suscitó la tensión. He oído hablar de empresas que utilizaron satisfactoriamente este formato, en lugar de sus reuniones generales de personal, pese a que no estaban funcionando con la holacracia. Si el proceso de reuniones completo es demasiado, he aquí algunos elementos que puedes añadir a cualquier reunión a la que asistas.

Rondas de control y clausura. Ambas son fáciles de añadir al principio y al final de casi cualquier reunión. Su finalidad es simple: la ronda de control permite que todos los presentes perciban y cuenten todo lo que tengan en la cabeza que pudiera distraerles, de manera que el equipo sea más consciente y esté más atento, listo para seguir adelante con los asuntos que les ocupe, mientras que la ronda de clausura da a cada uno la oportunidad de compartir sus reflexiones sobre la reunión. No olvides que en ambas rondas la gente habla de una en una y no están permitidos los debates ni las respuestas. Esto es esencial para evitar que tus reuniones degeneren en discusiones personales y para crear un «espacio seguro» en el que la gente se sincere.

Elaboración del orden del día sobre la marcha. En lugar de atenerse a una lista de elementos preestablecidos sobre los que consideres que debería hablarse, intenta dirigir tus reuniones con órdenes del día elaborados sobre la marcha en la misma reunión. Esto limita el orden del día a aquellos puntos sobre los que alguien percibe suficiente tensión como para plantearlos allí y garantiza así que a todo lo que se le dedique tiempo vale realmente la pena, al menos para alguien.

La estrategia del «¿Qué es lo que necesitas?» Cuando se aborda un punto del orden del día planteado por un miembro del equipo, siempre es útil empezar con la pregunta: «¿Qué es lo que necesitas?» Esto mantiene el debate centrado en la resolución del asunto en cuestión. También ayuda a que todos recuerden que el único objetivo consiste en satisfacer a la persona que planteó el problema, sin que se produzcan desviaciones hacia otras preocupaciones relacionadas de las demás personas. Sabrás que estás preparado para seguir adelante cuando la persona que agregó el elemento al orden del día puede responder sí a la pregunta: «¿Tienes lo que necesitas?», incluso si los demás no quedan satisfechos. Si fuera necesario, las preocupaciones de estos se pueden tratar como puntos diferentes del orden del día, lo que nos lleva al siguiente elemento que quizá te resulte de utilidad.

Una tensión cada vez. Esta sencilla regla obra maravillas a la hora de racionalizar una reunión y mantenerla en el buen camino. Es muy fácil que empecéis abordando un asunto y que de pronto os encontréis que media docena de asuntos relacionados os distraen, mientras todos se dedican a amontonar sus tribulaciones sobre la tensión original. El resultado suele ser insatisfactorio para todos, porque frecuentemente no suelen resolverse eficazmente un gran número de cosas. Ceñirse cada vez a una tensión e insistir en que los asuntos relacionados se conviertan en elementos independientes del orden del día, garantiza que cada uno reciba la atención que precisa.

Toma de decisiones integradora. Brindo esta última sugerencia con prudencia. El proceso de toma de decisiones integradora que se utiliza en las reuniones de gobernanza de la holacracia (véase p. 84) puede, en determinadas circunstancias, utilizarse como una forma de la toma de decisiones colaboradora general, aunque con cuidado. En la holacracia, este proceso sólo se utiliza en la gobernanza para adoptar una clase concreta de decisiones, y las directrices de la holacracia proporcionan una orientación clara de cómo llegado el caso deben cambiarse tales decisiones y para qué clase de decisiones es apropiado el proceso. Sin ese andamiaje en funcionamiento, el proceso de toma de decisiones integradora tiene una utilidad limitada. Dicho esto, también puede ser un eficaz proceso de toma de decisiones operativa cuando tengas que tomar decisiones estratégicas importantes, o incluso cuando sean menos importantes aunque aun así significativas y en las que sabes que tienes que integrar múltiples puntos de vista. Una colega me contó que había adaptado el proceso de toma de decisiones integradora para ayudar a un grupo de directivos a adoptar una importante decisión operativa, y que en noventa minutos habían conseguido resolver un asunto que llevaban cinco meses debatiendo. Recuerda, no intentes utilizarlo para cualquier decisión antigua; cíñete a las importantes que no necesites cambiar a menudo.

Con independencia de lo que hagas con estas ideas, recuerda ir modificando el rumbo sobre la marcha. Incluso en el caso de una adopción integral, el objetivo no consiste en cambiarlo todo en un abrir y cerrar de ojos. Deja que las tensiones te guíen. Cuando tomes conciencia de qué aspectos de tus sistemas actuales te están retrasando, pregúntate: «¿Qué funcionaría mejor? ¿Hay alguna manera de que pueda aplicar lo que he aprendido de la holacracia para mejorar esa situación?» Y en cuanto empieces a ver aparecer el siguiente paso —uno que sea realizable y que te ayude a hacer avanzar el trabajo—, dalo y observa qué sucede acto seguido. Empieces por donde empieces, espero que un día tengas la oportunidad de experimentar el cambio de paradigma de trabajar en —y para— una organización impulsada de arriba abajo por la holacracia.

LA EXPERIENCIA DE LA HOLACRACIA

«Nunca podemos estar verdaderamente preparados para aquello que sea totalmente nuevo. Tenemos que ajustarnos, y cada ajuste radical es una crisis de la autoestima.»

—Eric Hoffer, *The Ordeal of Change*

«Apenas reconozco a mi empresa ahora», me dijo un ejecutivo. «Desde que adoptamos la holacracia, es casi como si nos hubiera comprado una empresa diferente.»

He oído muchas variaciones de este sentir a líderes que han adoptado la holacracia en sus organizaciones. Por lo general, en las primeras etapas de la adopción, es expresado con una mezcla de euforia y desorientación; al final, la desorientación da paso a un sentimiento de liberación que es palpable. Es difícil transmitir en unas pocas páginas el cambio sustancial que esos directivos están experimentando, como cualquier otro que aparezca en un lugar de trabajo regido por la holacracia. Imagina que te subes a tu coche por la mañana y de repente descubres que no tienes el volante delante de ti, ni la palanca de cambios a tu lado, ni los pedales del freno o el acelerador bajo los pies. En vez de eso, te enfrentas a una serie desconocida de diales, botones y palancas de mando que no tienes ni idea de cómo manejar, y sin embargo sigues teniendo que ir a alguna parte, y deprisa. Lo que es más raro todavía, es que los asientos de los pasajeros tienen el mismo juego de controles delante de ellos. Esto podría resultar bastante desconcertante, y hasta desalentador; tu inveterada pericia como conductor ya no te sirve para nada. Sin embargo, cuando sales tímidamente del camino de acceso de tu casa, tienes la sensación de que a pesar de su extraño nuevo sistema de control, el coche podría tener ahora capacidades de las que la versión antigua jamás dispuso. Tardas un rato en acostumbrarte a él, pero poco a poco conducirlo se convierte en un placer, ya que te lleva adonde tienes que ir mucho más deprisa y con menos esfuerzo. Me parece que esto suele ser lo que se siente al pasar de una organización dirigida tradicionalmente a otra regida por la holacracia.

Mientras ayudo a numerosas organizaciones, desde pequeñas empresas incipientes a compañías razonablemente grandes, a adoptar e implantar la holacracia, he observado y ayudado a muchas personas a amoldarse a un nuevo sistema de control y al cambio de paradigma que requiere en cuanto a la forma de enfocar los dirigentes su función en la organización. Aunque cada caso es un mundo, he empezado a darme cuenta de que existen algunas cuestiones familiares. Así que, aunque no exista realmente ningún sustitutivo para la experimentación directa del cambio, en este último capítulo trataré de aclarar algunos de los aspectos fundamentales en los que tu experiencia cotidiana podría verse alterada si tu organización empezó a funcionar con la holacracia, y algunos de los problemas que tendrías que resolver mientras realizas la transición hacia su sistema de autoridad distribuida y gobernanza dinámica.

El derrocamiento del héroe

De los cambios que tendrán lugar, uno de los más espectaculares les sucederá a los directivos/titulares principales del poder de la organización (fundadores, director general, ejecutivos), toda vez que la relación entre ellos y el resto del equipo se reconfigura y la autoridad se redistribuye entre toda la organización. Para estos dirigentes, el cambio que he venido describiendo puede suponer un desafío existencial, aunque la otra cara de la moneda es la oportunidad para conseguir un alivio y una liberación tremendos.

Si eres un directivo que se ha acostumbrado a desempeñar la función de héroe, utilizando hasta la última gota de su voluntad y capacidades personales para conducir o hacer avanzar a la organización, necesitarás un nuevo tipo de heroísmo para desembarazarte del viejo. Es posible que tengas la sensación de que estás reduciendo la eficacia y rendimiento de las funciones que solías desempeñar. Ahora has distribuido la autoridad entre unas personas que quizá carezcan de tus aptitudes. Al principio, es probable que experimentes un declive en la eficiencia, la productividad y el empuje. Estás acostumbrado a ser el responsable, y de repente, ya no eres el único que hace avanzar a la organización y hay más posibilidades de que los límites de tu equipo afecten a tu progreso.

Por supuesto, desde otra perspectiva, la organización está menos constreñida, porque ya no depende por completo de ti como dirigente heroico ni está sujeta a las limitaciones en el tamaño de la carga que puede soportar una sola persona. A menudo, es la intuición de que se están acercando a los límites de sus capacidades individuales lo primero que inspira a los directivos a buscar un nuevo método organizativo, a permitir que sus empresas asciendan de nivel más allá de ellos. Pero por mucho que los dirigentes heroicos sientan esta necesidad, también suelen estar incorporados a la estructura de poder existente y no son plenamente conscientes de cuánto están limitando la capacidad de la organización para perseguir su propósito, aun cuando ellos también sean uno de los mayores propulsores de ese propósito. Como expresó uno de nuestros clientes: «Cuanto más averiguaba sobre la holacracia, más cuenta me daba de que era la solución tanto para los problemas a los que entonces me estaba enfrentando como para los que todavía no había considerado, pero a los que inevitablemente me acabaría enfrentando si seguíamos por el camino que llevábamos». Cuando un dirigente heroico echa un primer vistazo a lo que estaba buscando, la reacción suele ser una mezcla de miedo y alivio.

Este es el momento crucial en el camino hacia la adopción de la holacracia; si el líder es incapaz de observar sus propias reacciones con cierto grado de objetividad ni de confiar lo suficiente en el proceso para liberarse, puede ser un momento de fracaso. Ahora bien, la mayoría de los directivos con los que he trabajado son capaces de realizar esta transición y descubrir las recompensas que aguardan más allá de la aterradora perspectiva de liberarse. Una directiva me describió cómo se sorprendía volviendo a lo que denominaba el «modo del fundador del poder» cuando se sentía insegura porque las cosas no se estaban haciendo como ella quería; pero gracias a su compromiso con la holacracia, pudo empezar a resistirse a la tentación de ejercer el poder autocrático de esta manera y respetar la soberanía de los demás titulares de las funciones. Poco a poco, empezó a darse cuenta de que en realidad eran capaces de manejar las situaciones sin que ella ejerciera la autoridad, y que podía relajarse y confiar más en su equipo, aunque, al principio, nunca resulta fácil romper la fusión entre un dirigente y una organización.

A mí esto me parece aún más comprensible cuando el directivo también es el fundador, el visionario que hizo realidad la organización. Pero ser el fundador no es un requisito previo para una paternidad organizativa sobreprotectora. Trabajé con un director general que no tenía ningún vínculo especial con la misión —era un pistolero a sueldo, contratado para encauzar las cosas—, pero que, sin embargo, estaba bastante apegado al papel del líder heroico. Esa era la manera que había aprendido para aumentar el valor de todas sus organizaciones anteriores: comportándose como una figura paterna personal, afectuosa, amable y buena. Cualquier desafío a esa identidad lo desconcertaba profundamente. La situación fue crítica durante algún tiempo, pero el hombre resistió lo suficiente para ver los resultados positivos, cuando un nuevo espíritu de autonomía y creatividad emergió entre los miembros de su equipo y estos dejaron de verle como el jefe-padre que se esforzaba en mejorar las cosas para ellos. Este cambio se convirtió en su inspiración para continuar con el proceso, y al final liberarse le supuso un alivio.

Me enfrenté a ese mismo problema en mi propia aventura como fundador de la empresa de programación informática que incubó los primeros destellos de la holacracia. Lentamente, a medida que practicaba los procesos que había implantado, obtenía todo lo que pedía, y eso me reveló que le daba una gran importancia a ser el líder heroico, el que se ocupaba de todo, aquel del que dependían todas las cosas. Estoy seguro de que muchos padres han encontrado un sentido significativo en criar a sus hijos que se parece a mi experiencia de crear mi empresa, y estoy seguro de que algunos se han enfrentado a una crisis de identidad similar cuando esos hijos crecieron y ya no necesitaron el heroísmo paterno. Fue duro observar que ese patrón aparecía en mí mismo, y aún más duro desprenderse de él. Mi sentido de identidad se había fusionado parcialmente con una historia de mí mismo como líder-siervo consciente y habilitador, que administraba mi empresa y a mis empleados para alcanzar la grandeza. Esta es una imagen poderosa que nuestra cultura ha elevado a la condición de heroica; algo comprensible, porque a menudo es un reflejo de todo lo que podemos hacer en nuestras organizaciones de estructura convencional con su enorme dependencia de un liderazgo centralizado. Pero, pese a todas las cualidades positivas de la función del héroe, el afán por desempeñarla también se había convertido en una trampa para mi ego, transformándose en una importante fuente de mi autoestima y un pilar básico en torno al cual estaba construyendo el sentido de mi identidad y mi propia valía. En un principio, esto me dejó ciego para ver sus limitaciones y otras posibilidades que no dependían tanto de mi liderazgo heroico y consciente.

Una limitación que veo ahora en este paradigma del dirigente heroico es que con independencia de lo bondadoso, carismático y altruista que pueda ser el líder, todo el sistema está limitado por las capacidades de este. Se espera que tales dirigentes sean súperhombres, y cuando resulta que no llegan a tanto, se produce la decepción. Cuando encontré el valor para trascender esa función y solté el control para entregárselo al proceso que podía gestionar la organización mejor de lo que jamás podría hacerlo yo, sentí una oleada de alivio: ya no tenía que seguir intentando ser un súperhombre ni fingir que lo era, ni para mí ni para los demás.

También me encontré con que de repente mis capacidades se habían liberado de una manera que me sorprendió. No me había percatado de la cantidad de energía que estaba gastando sólo en intentar utilizar mi poder de manera adecuada, procurando dar lo mejor de mí y moderar mis reacciones para no incapacitar ni anular a los demás. Era consciente de que las demás personas eran esencialmente vulnerables a mi utilización del poder, y esto exigía una cierta atención y diligencia conscientes por mi parte, a fin de ser un líder habilitador y compasivo que dejara espacio para los demás. Pero para eso tenía que cortarme un pelo, no permitiendo que mis puntos de vista, a veces incisivos, y demás capacidades brillaran completamente y tuvieran su impacto. En otras ocasiones disminuía la dedicación —o la rechazaba sin más— y en su lugar favorecía sacar adelante un proyecto con mis puntos de vista e ideas. Pero esto solía producirse a expensas de la habilitación y de dejar sitio a los demás. Era un dilema terrible, y me encontraba atrapado en una disyuntiva excluyente, cuando lo quería todo: quería poder llevar adelante mis ideas y claros puntos de vista sin retraso, y al mismo tiempo crear un entorno donde los demás tuvieran espacio y poder sin que me interpusiera en su camino.

Una vez implantada la holacracia, ya no tengo que seguir escogiendo. Puedo utilizar toda mi capacidad para avanzar sin sacrificar la habilitación, porque ya nadie es vulnerable a mi uso o abuso del máximo poder organizativo. Nadie tiene que escucharme a menos que la gobernanza diga que tiene que hacerlo, y los demás disponen de todos los canales para procesar cualquier tensión que perciben de resultas de mis acciones. Es un alivio enorme poder expresar sin ambages mis opiniones y puntos de vista, y utilizarlos para sacar adelante mis proyectos. Ahora puedo defender algo a ultranza, desempeñar las funciones que estoy preparando para dirigir y ejecutar y dar rienda suelta a toda mi capacidad, sin preocuparme de si arraso a los demás por el camino. Y ya no desperdicio mi energía tratando de «habilitar a los demás» en un sistema esencialmente inhabilitador.

Libre de la constante presión de tener que ser perfecto, puedo actuar con naturalidad, y los que me rodean pueden hacer lo mismo. El sistema hasta me da la oportunidad de ser imperfecto —de tener un mal día, de estar atascado, de estar excesivamente apegado a mis ideas— sin destruir el poder y la capacidad de los demás.

Pero dicho esto, desde luego que la holacracia no me quita el valor, ni a nadie, de ser un líder bueno, consciente y atento; sólo distribuye esa necesidad entre más personas, y la convierte en una capacidad útil en lugar de en un ideal inalcanzable. La holacracia no depende de la capacidad de una persona para ser un dirigente fantástico a todas horas; depende de la capacidad de todos para ser un buen líder «a veces», y eso también hace que esté bien que nadie vaya a ser un fantástico dirigente siempre.

En esto, asumimos una relación de igual a igual en lugar de una dinámica padre-hijo de mutua dependencia. Aparecemos como socios, siendo responsable cada uno del propósito de la organización y de nuestras funciones para actualizarlo. En HolacracyOne, esta asocia-

ción no es sólo un cambio en la manera de relacionarnos entre nosotros, es también una realidad legal. Hemos estructurado la organización de manera que no tengamos empleados; por el contrario, cada
uno es socio de una asociación legal regida por la constitución de la
holacracia, con voz en la estructura de poder legal de la organización
por medio de las reuniones de gobernanza. Naturalmente, no es necesario que todas las empresas conviertan la holacracia en jurídicamente
vinculante de esta manera; incluso cuando se adopta simplemente
como política, el impacto es profundo.

El espectacular cambio de cultura de la holacracia tiene un precio.
Para aquellos que se encuentran a gusto cediendo su poder a un líder
que les dirija y bendiga sus decisiones, la holacracia implica abandonar
ese lugar oculto y estar dispuesto a asumir la autoridad y todas las
responsabilidades que conlleva; en cierto sentido, a estar más desnudo
y expuesto, a ser más vulnerable y a *dirigir* de verdad, aunque sólo sea
en su función como una pequeña parte de la empresa en su conjunto.
Y para aquellos que sienten apego, como lo sentía yo, por ser un dirigente bueno, habilitador o cariñoso, la holacracia significa desprenderse de esa imagen de uno mismo y de toda la autoestima que nos procura, por no hablar de desprenderse del deseo de controlarlo todo. En
contrapartida, encontrarás una enorme sensación de libertad creativa
y una flamante capacidad para hacer tu trabajo, en lugar de intentar
hacer de padre de todos los demás permanentemente.

La instructora de holacracia Anna McGrath me contó una historia
que le había oído a Rick Kahler, el fundador de Kahler Financial
Group, con quien había estado trabajando con la holacracia alrededor
de un año: «Ayer, después de un viaje a la Costa Este, llegue desgreña-
do, cansado y casi tarde a una reunión de gobernanza —le contó—.
Había seis personas sentadas a la mesa, y yo era la séptima, que casi
estaba de más. No tenía ningún asunto importante que compartir.
Como pude observar a medida que la reunión avanzaba, estaba claro
que mi presencia no era importante para el proceso. Los puntos del
orden del día iban surgiendo planteados por casi todos los presentes, y
la magia se desplegó. Era como si estuviera allí de observador. No
confundas eso con que no formara parte del proceso, pero *no estaba
en el proceso*. La responsabilidad de "conducir" la reunión me era
ajena. Más tarde, otro colega me dio su opinión: "No te lo tomes a

mal, pero por primera vez no tuve la sensación de que fueras *importante* en la reunión. Eras sólo uno más. Miré por la mesa y realmente me pareció que éramos un equipo"». Para Rick, y muchos dirigentes como él, una experiencia así supone un tremendo alivio.

Incluso podría parecerte, como le ocurrió recientemente a uno de nuestros clientes, que te puedes tomar un merecido descanso. «La holacracia me ha permitido tomarme las primeras vacaciones de mi vida en las que he estado realmente desaparecido», me confesó Phil Caravaggio, fundador de la empresa líder en formación nutricional Precision Nutrition. «Debido fundamentalmente a la obligación que impone la holacracia de definir clara y explícitamente tus funciones y trabajo, luego resulta ridículamente fácil intercambiar temporalmente esas funciones con otras personas mientras estás fuera. Las personas que desempeñen las funciones no podrán hacer el mismo trabajo que haría yo, pero sí tendrán unas directrices claras sobre a qué tienen que prestar atención exactamente. Y no hay vacío de autoridad ni confusión sobre quién está obligado a qué. Este es un efecto secundario totalmente inesperado y muy bien recibido de adoptar la holacracia, porque, de entrada, una de las principales razones de que hiciera el cambio fue el "agotamiento del fundador" que tanto mi socio cofundador como yo habíamos empezado a sentir.»

A la postre, la holacracia fortalece a todos los que están dentro del sistema, incluido al líder. Pero primero —volviendo a nuestra metáfora del coche con nuevos mandos— tienes que respirar hondo, comprender esos mandos nuevos, y volver a sacar el coche a la calle, mientras todos los que te rodean están haciendo lo mismo.

Curiosamente, una tendencia que he advertido en nuestros clientes es que los dirigentes que están dispuestos a liberarse a veces esperan que yo (o uno de mis colegas) asuma la función del líder heroico mientras ayudo a facilitar la transición. Cuando empezamos a trabajar con los procesos de reuniones, esperan que lea sus expresiones y las de los miembros de sus equipos y adecue el proceso a sus necesidades. Y si resulta que mantengo el proceso con firmeza, se sienten ofendidos, como si estuviera manifestando una falta de interés personal por ellos y su familia organizativa. Es necesario algún tiempo para que se adapten al hecho de que como orientador me preocupo del proceso, no de los individuos. No me dejo seducir para llenar el vacío de poder, sino que sólo estoy manteniendo el espacio que necesita el proceso para hacer su trabajo de acuerdo con las normas de la constitución. En las primeras etapas, el proceso es un desastre y nadie conoce esas normas. Pero no es cosa mía aliviar eso convirtiéndome en un jefe subrogado, por incómoda que pueda resultar la situación.

Al principio, las más de las veces, el resultado es que el proceso parece un caos sin jefe. En las primeras reuniones de gobernanza con un cliente reciente, me dediqué a anotar textualmente las propuestas que estaban haciendo la gente, aunque no estaban siendo expresadas con claridad ni en la forma adecuada de la gobernanza. Y, como era de esperar, no tenían mucho sentido. Más tarde, cuando planteé la objeción de «No válida», los presentes empezaron a sentirse frustrados conmigo. «¿Y por qué no empiezas ayudándome a modificarla o mejorarla?» Pero me limité a escribirlo, y apliqué el proceso. Lento pero seguro, el propio proceso empezó a arrojar claridad y lógica a lo que se estaba planteando. Al final, los asistentes empezaron a confiar en el proceso y en su capacidad para utilizarlo, en lugar de depositar su confianza en mí, en su director general o en cualquier otro.

Pero la belleza de esta redistribución de la autoridad estriba en que elimina la necesidad de actos heroicos de un jefe, un asesor o quien sea. En cuanto la holacracia está implantada, el poder de cada equipo deja de residir en un único líder-jefe heroico y en su lugar pasa a residir en el proceso, el cual está incorporado a la constitución. Pero esto no tiene como consecuencia, como algunos pueden temer, una organización caótica, ineficaz y sin propósito. En cierto sentido, todo el mundo se convierte en líder de sus funciones. En cierta ocasión, un asistente a un curso de formación captó esto a la perfección cuando comentó que, en lugar de pasar de una autocracia dirigida por un líder a un colectivo sin líder, lo cual es algo que pueden haber intentado muchas empresas con un éxito limitado, lo que hace la holacracia es crear una organización llena de líderes. El liderazgo se convierte en asequible, incluso en algo rutinario: es lo que hace todo el mundo.

Desarraigar a la víctima

Los líderes no son los únicos a los que la transición a la holacracia les puede resultar incómoda. En la dinámica padre-hijo que existe en la mayoría de las organizaciones, aquellos que asumen el rol arquetípico del hijo suelen estar profundamente apegados a ese modelo de ser, aunque al mismo tiempo se sientan frustrados por su dinámica inhabilitadora. Por mucho que todos podamos quejarnos a veces de los malos jefes, me parece que a la mayoría nos gusta poder recurrir a un líder heroico que nos resuelva los problemas a los que no sabemos cómo hincarles el diente nosotros mismos o que sencillamente no queremos tener y afrontar. La holacracia rompe esta dinámica para todos con consecuencias interesantes.

Cuando se les concede la autoridad sobre sus funciones, aquellos que están acostumbrados a ocupar un lugar muy bajo en la cadena trófica de la organización, acostumbran a sentirse incómodos por no tener ya ningún sitio donde esconderse, y a nadie a quien echarle las culpas. Asumir la posición del hijo o de la víctima, por inhabilitador que pueda ser, también nos permite ir a nuestro aire. Podemos quejarnos y rezongar por el dispensador de agua, pero nunca tenemos que hacer nada sobre las tensiones que percibimos. ¿Y cómo íbamos a poder? Carecemos de poder. Pero la holacracia le da la vuelta a esa situación: ahora sí tenemos el poder; con independencia del sitio que ocupemos en la organización, tenemos el poder para convertir cualquier tensión que percibamos en un cambio importante. Como Alexis Gonzales-Black, de Zappos, expresó: «La holacracia no te va a librar de tus problemas; la holacracia es una herramienta que te permite resolver tus propios problemas».[16]

Utilizar ese poder puede resultar aterrador al principio, y tal vez pase un tiempo antes de que la gente esté segura de que no va a ser regañada ni sancionada por ejercerlo. Ahora bien, la holacracia no te permitirá muchas opciones: es difícil esconderse de la atribución de poderes cuando el proceso organizativo que te rodea no para de encender una luz en tu escondite. La holacracia deja patente que puedes procesar las tensiones y que estás decidiendo sencillamente no hacerlo; que tienes voz y que sencillamente decides no utilizarla; y que «ellos» no tienen todo el poder, sino *tú*. Y esto pone de manifiesto que no sólo tienes el poder, sino también, si aceptas desempeñar una función y actuar como su administrador, la responsabilidad. La organización depende de ti, en tu calidad de sensor, para expresar las tensiones que percibes y así poder evolucionar.

Por supuesto, todos seguimos quejándonos de vez en cuando sobre las cosas que no nos gustan, pero con la holacracia implantada tenemos mucho más que una alternativa. Podemos escoger desperdiciar nuestra energía rezongando por cómo están las cosas o podemos seguir adelante haciendo algo al respecto; puede resultar un proceso bastante revelador de nosotros mismos. Cuando ya no tienes la posibilidad de ir de víctima y de culpar a «los demás» o a las «circunstancias», ves tu resistencia a la realidad sólo en lo que es. Una instructora en meditación que asistió a un seminario de formación en holacracia, comentó en una ocasión que el proceso era muy parecido a lo que ella enseñaba a la gente en sus clases de meditación: la manera de reparar en su resistencia a la realidad y su apego a los puntos de vista. Y al igual que la práctica de la meditación, la de la holacracia no resulta fácil. Puede ser incómodo tener ese espejo interior enfrentado a todas tus resistencias y no poder proyectarlas inconscientemente sobre los demás. Pero esto es también más genuinamente fortalecedor que cualquier otro planteamiento con el que me haya topado. La holacracia insta a cada individuo a que interiormente dé un paso adelante y se adueñe de su autoridad, un paso que ocasionalmente es probable que sea difícil, aterrador y, posiblemente, estimulante.

Acceder a una autoridad desconocida puede ser al principio una experiencia incómoda. Con la holacracia, no tienes que buscar el consenso ni la aprobación para las decisiones que caen dentro del ámbito del poder hacer de tu función. Pero a algunas personas les resulta difícil romper este hábito a causa de la preocupación de que puedan ofender o disgustar a sus colegas tomando decisiones sin pedirle opinión a nadie. Este mismo caso se me planteó recientemente en una empresa con la que estaba trabajando y en la que se estaba empezando a introducir la holacracia. El secretario de un círculo había programado unas reuniones de gobernanza bisemanales, pero una mañana, el director general anunció que tenía que hacer un viaje al extranjero y que no estaría allí para la siguiente reunión, así que había que aplazarla. Al director general le preocupaba que la reunión pudiera tratar asuntos fundamentales en los que él debía participar, una preocupación comprensible en el líder de una empresa que estaba pasando por unos cambios tan importantes.

Sin embargo, y como le expliqué al director general, la constitución de la holacracia concede al secretario electo la autoridad para programar o cancelar las reuniones tácticas y de gobernanza de un círculo. Cualquiera puede dar una opinión sobre cuándo fijarla, pero el secretario tiene autoridad para aceptarla o no y no está obligado a recabarla. En este caso, el secretario juzgó la situación y decidió seguir adelante con la reunión. Pero, curiosamente, una vez iniciada esta, planteó el primer punto del orden del día, que era una política propuesta para formalizar su decisión: «Nos reunimos cada dos lunes con independencia de quien pueda o no asistir».

Lo fascinante de este momento es que el secretario ya tenía toda la autoridad para tomar esa decisión, y no necesitaba adoptar ninguna política; de hecho, lo único que haría con lo que había propuesto sería *limitar* su autoridad para utilizar su leal saber y entender si, más tarde, quisiera cambiar su decisión. Cuando observé esto, me di cuenta de que el secretario estaba incómodo aceptando su autonomía y autoridad, y que temía violar la zona de seguridad de los demás, en especial la del director general. Esto es algo habitual en las primeras etapas de la adopción. La mayoría de las personas no están acostumbradas a tener autoridad y no entienden que con ella pueden relajarse, sabiendo que el proceso de gobernanza da la oportunidad a todos de procesar las tensiones que surjan de resultas de ello. El secretario quiso anticiparse a cualquier tensión que el director general o los demás pudieran percibir asegurándose que hubiera un consenso, lo cual le ayudaría a sentirse más cómodo. Sin embargo, la belleza de la holacracia radica en que esta clase de acciones preventivas no son necesarias. Como le expliqué en nuestra siguiente sesión de formación, lo único que tenía que hacer era asumir su autoridad; si el director general o cualquier otra persona sentía alguna tensión sobre la manera en que estaba utilizándola, podrían suscitar una propuesta en la siguiente reunión de gobernanza para establecer un límite a la manera en que el secretario programaba las reuniones.

Si la gente se siente incómoda por no buscar el consenso, o no disculparse por tomar decisiones, o por remover las aguas de la organización, esa es una buena señal; una señal de que están empezando a pasar a un nuevo tipo de relación entre ellos y sus funciones. Poco a poco, a medida que la gente se sienta más cómoda teniendo y utilizando la autoridad, dejará de sentir la necesidad de disculparse. ¿Acaso el corazón consulta a todos los demás órganos antes de bombear la sangre por el cuerpo? ¿Es que el hígado se disculpa con el estómago por eliminar sustancias nocivas?

Cuando este cambio empieza a arraigar más profundamente, y te sientes liberado de las dinámicas de la relación padre-hijo con un jefe, a menudo se libera una nueva clase de motivación. Una persona con la que trabajé lo describió como «una poderosa motivación para actuar al límite de mis capacidades, para ir más allá y evolucionar en nuevos aspectos. Esa motivación ya no proviene de tener al jefe echándome el aliento en el cogote, sino que surge de la propia sensación de que mis funciones dependen de mí y que el sistema general depende de la respuesta de mis funciones». Esto puede convertirse en una potente dinámica cultural, porque nos inspiramos mutuamente para dar un paso adelante y ser lo mejor que podamos. A veces, comparo esto con lo que he oído decir de los que sirven en el ejército: ese profundo sentido de camaradería que surge cuando sabes que todos dependéis de otro y que cada uno asume esa responsabilidad absoluta.

Trascender el paradigma personal

Cuando te acercas a una estructura clara y transparente de funciones y obligaciones, es posible que también tomes conciencia de un profundo cambio de paradigma. Entonces empezará a hacerse evidente hasta qué punto las decisiones y expectativas se han basado hasta el momento en las políticas de relaciones personales o en los acuerdos entre personas concretas. Como dijo el director general de una empresa cliente: «La holacracia nos ayudó a pasar de una cultura donde todo dependía de unas personas concretas a otra donde las cosas dependen de las funciones y los métodos».

Para la mayoría de las personas, dejar atrás las muchas manifestaciones negativas de las políticas de personal es a la postre un alivio. Pero en muchas organizaciones el clima personal también tiene un aspecto muy positivo, y del que es mucho más difícil liberarse: las relaciones se crean y desarrollan en un entorno favorable y una cultura humana del cuidado y la atención. Aquellos que han disfrutado de un ambiente así suelen mostrarse comprensiblemente inquietos cuando experimentan la holacracia por primera vez. Han aprendido a dirigir y a utilizar las relaciones personales para lograr un resultado organizativo, y la holacracia les obliga a deshacerse de todo aquello que los ha hecho eficaces. También necesitarán un nuevo modelo mental sobre en qué consiste la vida organizativa y la manera en que deberían presentarse los individuos en su seno.

Para subrayar esta cuestión, suelo declarar rotundamente: *la holacracia no se ocupa de las personas*. Este es uno de los aspectos de la práctica que a la gente más le cuesta digerir, aunque es esencial. La holacracia no trata de mejorar a las personas, ni de hacerlas más compasivas ni más conscientes. Y no les pide que creen ninguna cultura específica ni que se relacionen entre sí de una manera concreta. Sin embargo, precisamente por no pretender cambiar a las personas ni la cultura, proporciona las condiciones para que el desarrollo personal y cultural surja de manera más natural; o no, si no se pretende que surjan.

Considero que esta es una de las paradojas más hermosas de la holacracia. Y una que no es fácil de explicar, sobre todo en la actualidad, con la presión imperante para mejorar las culturas organizativas, el desarrollo personal y la promoción de un liderazgo más consciente. La holacracia actúa a un nivel completamente diferente; no entra directamente en conflicto con la mayor parte de esos intentos, sino que se limita a implantar un sistema subyacente distinto en el que tales iniciativas tienen una influencia menor para el cambio necesario y donde obtienes los mismos resultados sin buscarlos directamente.

La holacracia se centra en la organización y *su* propósito, no en las personas y sus deseos y necesidades, por positivos que estos puedan ser. Ni siquiera en las reuniones de gobernanza sumamente integradoras de la holacracia, que permiten que todos los individuos tengan voz, el objetivo consiste en buscar el consentimiento personal de las personas involucradas o en asegurar que estén personalmente encantadas con las decisiones. Muchas de las reglas del proceso de reunión de gobernanza existen para garantizar específicamente que la atención esté puesta sólo en aquello que la organización necesita para expresar su propósito, teniendo en cuenta las necesidades concretas de sus funciones, y no en las opiniones, deseos, valores y objetivos personales ni en cualquier otra cosa. Buscar el consentimiento de la gente o alcanzar el consenso no es el umbral necesario para tomar las decisiones en la reunión de gobernanza de la holacracia, y sus matizadas normas impedirán efectivamente que se centre la atención en ello, o se desviará rápidamente si ocurre. Los sistemas y procesos de la holacracia tratan de ayudar permanentemente a la organización a encontrar su identidad y estructura exclusivas para cumplir su misión en el mundo, al tiempo que la protegen de las prioridades, egos y políticas humanas. Y también permite que la organización se sienta más motivada por su propio y exclusivo propósito en la vida, de la misma manera que un hijo crea su identidad y establece sus objetivos más allá de los de sus padres.

Cuando la David Allen Company estaba llevando a cabo esta transición, muchas de las personas de dentro tenían problemas con el cambio a un enfoque más impersonal. Llevaban años esforzándose en crear una cultura muy íntima, próxima y afectuosa, y eso era algo que podías percibir en cuanto entrabas en su edificio. Lo cierto es que parecía un sitio estupendo para trabajar, donde las personas confiaban las unas en las otras, se escuchaban y compartían una íntima conexión. Durante el proceso de implantación de la holacracia, tratamos deliberadamente de destrozar ese tejido cuidadosamente trenzado de relaciones desde la manera en que la gente hacía su trabajo, y a muchos el cambio les resultó muy desagradable. Pero la holacracia no estaba eliminando toda aquella interconexión y confianza ganadas con tanto esfuerzo, sino tan sólo llevándolas a un espacio distinto y liberándolas de los problemas organizativos.

En un momento dado, entendiéndolo por fin, David lo expresó a su manera: «Lo que estás diciendo es que esta es una manera inadecuada de utilizar el amor y el cuidado en *utilizar* el amor y el cuidado para hacer algo.» Desde entonces esta se ha convertido en una de mis maneras favoritas de describir este aspecto de la holacracia. No vamos a rechazar una cultura de amor y cuidado al instalar la holacracia; de hecho, vamos a convertir el campo de la conexión humana en algo más sagrado, porque vamos a instalar un sistema en el que ya no tenemos que apoyarnos en nuestras conexiones y relaciones para poder procesar las tensiones de la organización. La holacracia surte también el efecto contrario: reduce el impacto de las tensiones organizativas en las relaciones humanas.

Algunos meses más tarde, al reflexionar sobre la transición que su empresa había realizado, David me hizo una interesante observación:

«A medida que hemos ido distribuyendo las obligaciones por toda la organización, he tenido que prestar mucha menos atención a la cultura. En un sistema operativo que no funciona bien, tienes que centrarte en cosas como los valores para hacerlo algo tolerable, pero si todos estamos dispuestos a prestar atención al propósito superior, y hacemos lo que tenemos que hacer y lo hacemos bien, la cultura surge sin más. No tienes que forzarla». Lo que él y su equipo estaban descubriendo es que, lejos de suprimir las dimensiones personal e interpersonal, la holacracia en realidad libera a las personas para que actúen con absoluta naturalidad y estén plenamente unidas, sin enturbiar esos espacios con las prioridades de la empresa y las políticas de la organización.

De esta manera, la holacracia crea una saludable separación entre los ámbitos que en las organizaciones tradicionales suelen estar fusionados, y que a veces lo están aún más en las organizaciones progresistas. Mi socio en la empresa, Tom Thomison, describe esto diferenciando el «espacio personal» y el «espacio tribal» del «espacio de las funciones» y el «espacio de la organización». Me encanta esa distinción y a lo que apunta. Estas esferas tan diferentes de la experiencia con frecuencia se desdibujan, debido a que todas coexisten en el seno de alguna organización. Los espacios personal y tribal son donde entra en juego toda la maravillosa riqueza del ser humano; el primero tiene que ver contigo y tus valores, pasiones, talentos, ambiciones e identidad, mientras que el segundo hace referencia a la manera que tenemos de relacionarnos y nuestros valores, cultura, elaboración de sentido y lenguaje comunes. El espacio de las funciones, por otro lado, es donde actuamos *en funciones*, como administradores de estas, para expresar su propósito y representar sus obligaciones. Por último, el espacio de la organización es el resultado de trabajar juntos, función a función, y de gobernar dichas funciones en aras del propósito de la organización.

INDIVIDUO
ESPACIO PERSONAL

INDIVIDUO
ESPACIO DE LAS FUNCIONES

GRUPO
ESPACIO TRIBAL

GRUPO
ESPACIO DE LA ORGANIZACIÓN

Bien ejecutada, la holacracia no devalúa los campos personal e interpersonal, como algunos temen al principio; de hecho, habitualmente la veo infundir un respeto más profundo por lo personal, mucho más incluso de lo que he visto en muchas organizaciones que se centran por completo en estas dimensiones. Y lo hace diferenciando claramente estos cuatro espacios y manteniendo los límites debidos entre ellos. Esto permite que todos los espacios coexistan sin que ninguno domine a los demás, lo cual los hace evolucionar desde una fusión inconsciente y unos límites imprecisos a una unión saludable, diferenciados y sin embargo integrados.

Con todos los procesos de la holacracia centrados en los espacios de función a función y de la organización —y en no mucho más— nuestro espacio tribal interpersonal queda en un estado bastante notable de anarquía. Una organización puede crear aplicaciones para regular este espacio cuando hacerlo sea verdaderamente útil para el propósito de la organización; ahora bien, creo que en el hecho de dejar este espacio sin regular mientras sea práctico, al menos por parte de la organización, hay algo bastante elocuente. Si dos o más personas desean acordar algo —comunicarse de forma más comprensiva, por ejemplo— tienen todo el derecho a hacerlo. Pero cuando la política organizativa actual exige que la gente lo haga para obtener resultados, esto disminuye la profundidad y autenticidad de ese posible acuerdo. En lugar de presionar a la gente para que se relacione de una determinada manera, la holacracia permite que la organización funcione óptimamente *sea cual sea la forma en que nosotros los humanos decidamos relacionarnos mutuamente de manera personal*. Esto se opone a los intentos de fusionar nuestros objetivos de desarrollo personal o nuestros deseos culturales con las necesidades y gobernanza de la empresa. En consecuencia, mantiene los valores humanos fuera del espacio de la organización, lo que también mantiene a la organización fuera del espacio de nuestros valores humanos. Y, lo que quizá sea más importante, impide que los otros que trabajan en el espacio de la organización nos dominen con sus propios valores humanos en nombre de la productividad organizativa.

Curiosamente, esta es la mejor receta que conozco para que una cultura humana tenga más empatía, conexión, comunicación auténtica, y cualquier otra dinámica humana creativa que pudiéramos buscar. Todo esto es libre de aparecer de forma natural cuando podemos trabajar juntos para hacernos cargo de otra entidad (la organización) y su propósito en un espacio claro y libre de la presión de participar como los demás creen que deberíamos participar, a menos que hayamos acordado conscientemente hacerlo de esa manera.

Este fundamento crea de hecho un nuevo mundo en el trabajo, un mundo en el que tienes el espacio y la autonomía para hacer lo que tengas que hacer para desempeñar tus funciones, sin ninguna exigencia de conseguir el consenso o la aprobación de nadie. Y un mundo donde ningún proceso grupal puede apropiarse de la autoridad que ostentas sólo porque a alguien no le guste las decisiones concretas que tomas. Tú sabes quién está obligado a qué y qué tienes derecho a esperar de los otros (y viceversa), así que no tienes que andarte con pies de plomo con la burocracia, las políticas y el ego que conllevan las expectativas implícitas. Y cuando algo no está claro, o cuando las autoridades y expectativas tienen que evolucionar, ya existe un proceso de gobernanza integradora para generar esa claridad. Imagínate ir al trabajo cada mañana y mostrarte verdaderamente al servicio de algo más grande que tú, sin el lastre de las ideas implícitas de los demás sobre cómo deberías comportarte o de lo que esperan de ti, y luego marcharte del trabajo la mayoría de los días con la sensación de que tus aptitudes han sido bien utilizadas ese día, que tus dones han sido aprovechados e integrados en aras de un propósito que escogiste servir. Me encanta este nuevo mundo que la holacracia ha creado en mi organización y la manera en que ha liberado también los otros espacios de mi vida. Una vez que superes la extrañeza inicial que conlleva hacer las cosas de manera diferente a como las has hecho hasta entonces, y una vez que te adaptes al nuevo sistema de control, es posible que te sorprenda agradablemente la fluidez y libertad con que tú y tu organización avanzáis por el terreno impredecible y en constante cambio en el que hoy día nos encontramos todos.

La evolución de la organización

Muchos de los cambios que he analizado en este capítulo no son exclusivos de la holacracia. Esta es sólo un ejemplo de un sistema que utiliza la organización autónoma entre iguales y el control distribuido, en lugar de los enfoques más tradicionales para lograr el orden. Aunque creo que es novedosa en muchos aspectos, no tienes que buscar muy lejos para encontrar otros sistemas y procesos que reflejen un paradigma similar. De hecho, creo que la holacracia es sólo una expresión de una evolución más amplia hacia una nueva manera de estructurar nuestro mundo y nuestras relaciones, y confío en que pueda contribuir a ese cambio más grande. Cuando menos, creo que la holacracia puede servir como ejemplo de que ese orden no requiere líderes jerarquizados. Veo que hoy día, en el mundo, las personas renuncian habitualmente a su autonomía en favor de diferentes clases de líderes, y no es algo que me sorprenda. La mayoría crecimos en hogares con figuras patriarcales autoritarias, y de ahí pasamos a trabajar en entornos estructurados de forma muy parecida, y puede que nosotros mismos nos hayamos convertido en esas figuras autoritarias, bien en el trabajo, bien como padres. Este patrón socialmente arraigado se repite y refuerza en muchos aspectos de nuestras vidas.

Las organizaciones que funcionan con la holacracia crean la posibilidad para aquellos que están dentro de tener una experiencia muy diferente, en la que el poder está distribuido y todos conseguimos ser adultos juntos. Una experiencia en la que nuestra soberanía es respetada y no existe ninguna figura de autoridad hacia quien levantar la vista; donde sólo estamos nosotros, apoyándonos unos a otros lo mejor que podemos mientras cada uno nos ocupamos de nuestras partes del sistema. Confío en que esa experiencia contribuya a suscitar preguntas más profundas y puede que algo de escepticismo, cuando los líderes y figuras de autoridad de todo tipo nos insten a confiar en ellos y su utilización del poder sobre nuestras vidas y las de los demás.

Me parece que, de una u otra manera, tanto en las organizaciones como en la sociedad, seguiremos viendo que los sistemas de control estáticos y centralizados dejan paso a otra cosa. La evolución parece favorecer a aquellos procesos que permiten que el orden emergente entre iguales aparezca en respuesta a las verdaderas tensiones. Creo que una de las mejores maneras que tenemos para posibilitarlo es inculcar la gobernanza en todo un sistema, un proceso tan perfectamente integrado que se produce, como el respirar, sin necesidad de arquitectos supremos que apliquen un diseño perfecto desde el principio. Y esto encierra una hermosa paradoja: cuando tienes un sistema que distribuye la autoridad y respeta la autonomía de todas sus partes y actores, al mismo tiempo tienes también un sistema capaz de actuar como un todo más cohesionado e integrado. Así que, en realidad, no necesitamos escoger entre sistemas centralizados y distribuidos. La belleza de una holarquía en funcionamiento es que nos proporciona ambos: entidades completas autónomas, hechas de partes interconectadas que son ellas mismas autónomas y enteras, a todos los niveles.

Por último, si hay una cosa que la evolución favorece por encima de todo, puede que sea a la misma evolución. Las ruedas del diseño de la evolución llevan girando desde el principio de los tiempos, buscando estructuras novedosas de profundidad y complejidad cada vez mayores. Con cada avance innovador, la evolución parece encontrar las formas de aumentar la velocidad del propio proceso evolutivo y de ampliar su alcance a un número de ámbitos cada vez mayor. En última instancia, la holacracia es una invitación a comprometerse conscientemente con ese proceso de una manera nueva utilizando una herramienta novedosa. Porque, ya sea a través de la holacracia, ya de otro sistema, la evolución encontrará la manera de entrar en nuestras organizaciones. Es sólo cuestión de tiempo. Así que podemos administrarla dentro, o podemos combatirla durante algún tiempo, pero de una manera u otra la evolución nos marcará el camino.

NOTAS

1. Packard, David, *The HP Way: How Bill and I Built Our Company*, HarperBusiness, 2006, p. 142.

2. Beinhocker, Eric, *The Origin of Wealth: The Radical Remaking of Economics and What It Means for Business and Society*, Harvard Business Review Press, 2007, p. 12.

3. Ibíd., p. 334.

4. Hamel, Gary, intervención en el World Business Forum, 2009. Citado en Seth Kahan, «Time for Management 2.0», *Fast Company*, 6 de octubre de 2009, http://www.fastcompany.com/blog/seth-kahan/leading-change/hamel-hypercritical-change-points-radical-changes-required-management.

5. Hamel, Gary, «First, Let's Fire All the Managers», *Harvard Business Review*, https://hbr.org/2011/12/first-lets-fire-all-the-managers, consultado en diciembre de 2014.

6. Las observaciones de Alexis Gonzales-Black están extraídas de la entrada de Zappos Insights «What Does Leadership in Self-Organization Look Like?», 8 de octubre de 2014, http://www.zapposinsights.com/blog/item/what-does-leadership-in-selforganization-look-like, consultado en octubre de 2014; y de Alexis Gonzales-Black, «Holacracy at Zappos. The First Year of Adoption», entrevista realizada en Internet por Anna McGrath, 29 de octubre de 2014.

7. Williams, Evan, hablando en la conferencia Wisdom 2.0, 2013.

8. Allen, David, «What If We All Had Accountability?», podcast de GTD Times, septiembre de 2011.

9. Gerber, Michael, *El mito del emprendedor: por qué no funcionan las pequeñas empresas y qué hacer para que funcionen*, Paidós Ibérica, Barcelona, 2011, pp. 97-115.

10. Allen, David, *Haz que funcione*, Alienta, Barcelona, 2011.

11. Allen, David, *Organízate con eficacia: máxima productividad personal sin estrés*, Empresa Activa, Barcelona, 2006.

12. Allen, David, «Productive Living», boletín, http://gettingthingsdone.com/newsletters/archive/0713.html. 18 de julio de 2013.

13. Taleb, Nassim Nicholas, *El cisne negro: el impacto de lo altamente improbable*, Paidós Ibérica, Barcelona, 2008, p. 157.

14. Beinhocker, *Origin of Wealth*, p. 347.

15. Ibíd., p. 14.

16. Gonzales-Black, «Holacracy at Zappos».

AGRADECIMIENTOS

Son muchas las personas que han contribuido a la holacracia, bien directamente mediante su iniciativa para introducir el método y su uso en el mundo, bien indirectamente, influyendo en el perfeccionamiento del sistema a través de su propio trabajo. Resulta difícil relacionar y rendir homenaje a todas esas fuentes de ayuda e inspiración, así que, disculpándome por adelantado con aquellos que sé pasaré por alto, en estas últimas páginas me gustaría brindar mi reconocimiento y gratitud a todos los que pueda.

Por la exquisita claridad y utilidad de su método GTD, y ya no digamos por su acogida a la holacracia en sus inicios y por el genial prefacio escrito para este libro, quiero expresar mi más especial agradecimiento a David Allen. GTD es un ejemplo brillante de la clase de sistema que yo estaba buscando con la holacracia, un descubrimiento y una codificación ineludibles de los medios más naturales para procesar, organizar y responder a las muchas aportaciones de nuestro mundo. Yo andaba buscando la misma clase de «leyes naturales» de la organización colectiva que GTD ofrecía para la organización individual, y el trabajo de David fue una fuente de inspiración importante, aparte de sus contribuciones más directas al lenguaje doméstico de la holacracia y sus conceptos básicos.

Por hacer de catalizador y empujarme en el buen sentido, estoy especialmente agradecido a Tom Thomison, mi socio fundador de HolacracyOne. Tom actuó como el contrapunto casi perfecto de mi energía y enfoque; cuestionó la holacracia en sus inicios como nadie más hizo, y su amistosa inquietud forzó el perfeccionamiento y claridad que necesitaban las normas y procesos fundamentales de la holacracia, al tiempo que me ayudaba a que me diferenciara de mi creación. Fue también decisivo en la creación de HolacracyOne y pionero de gran parte de lo que ahora sabemos sobre el tránsito de las organizaciones a la holacracia. Su ilimitada compasión y altruista voluntad de servicio me han sustentado y apoyado profundamente, como también a muchas otras personas, a hacer este trabajo.

Tras unirse a HolacracyOne y ayudar a expresar su propósito en el mundo, les estoy muy agradecido a todos mis socios por su energía, compañerismo y permanente e infatigable trabajo. Y me gustaría darles las gracias de manera especial a Alexia Bowers, que estuvo con nosotros desde el principio, además de a Karilen Mays, Olivier Compagne, y Deborah Boyar, que se unieron a nosotros al poco de empezar y cuya contribución fue inmensa, en particular como nuestros primeros formadores en holacracia, aparte de Tom y yo mismo. Gracias también a Lewis Hoffman, en parte por sus grandes contribuciones a nuestros intentos de desarrollo informático, y en mayor medida porque ha sido un placer trabajar con su generosa presencia y me ha dado algo a lo que aspirar. También me gustaría expresar mi reconocimiento a nuestros primeros licenciatarios por su ayuda en difundir la holacracia en el mundo, y en especial a Bernard Marie Chiquet, Diederick Janse, y Anna McGrath. Y vaya también mi agradecimiento para Dennis Wittrock, uno de los primeros partidarios del método, cuyo apoyo fundamental posibilitó nuestros primeros talleres en Europa.

Por apoyar mis primeras prospecciones encaminadas a la holacracia en mi empresa de informática, y (sobre todo) aguantarme mientras experimentaba despiadadamente con nuestra empresa, le doy las gracias a mis socios cofundadores Anthony Moquin y Alexia Bowers, así como a nuestros ágiles programadores informáticos, Bill Schofield y Gareth Powell, por su interés en los procesos. Todas las personas con las que trabajé allí a lo largo de los años también se merecen mi reconocimiento, porque la permanente experimentación que al final condujo a un sistema elegante a menudo no lo fue tanto.

Por sus libros y otras obras que desempeñaron un papel clave en mi aventura por mejorar las organizaciones, gracias a: Linda Berens, Barry Oshry, Peter Senge, Patrick Lencioni, Jim Collins, y Elliott Jaques.

Por sus modelos y puntos de vista únicos, que en última instancia me ayudaron a darle sentido al sistema que estaba creando y lo que funcionaba al respecto, me gustaría expresar mi agradecimiento a: Eric Beinhocker, Nassim Nicholas Taleb, Ken Wilber, Murray Rothbard, y Ludwig von Mises.

Por todas sus contribuciones a la organización autónoma y la planificación flexible y los cambios de mentalidad que los acompañan, les doy las gracias a los muchos pioneros de la ágil comunidad del desarrollo informático, entre los que se cuentan Kent Beck, Mary Poppendieck, Ken Schwaber, Jeff Sutherland, y Mike Cohn, entre otros.

Agradezco a Gerard Endenburg su trabajo y sus libros sobre la sociocracia; su sistema conformó el desarrollo inicial de la holacracia e inspiró su utilización de los enlaces representativos y su proceso de elección.

Por sus contribuciones a este libro, estoy en deuda con mi asesora literaria, Ellen Daly, sin cuyo esfuerzo y talento fundamentales estas páginas podrían no haber visto jamás la luz del día. Le debo mucho a mi editor, Will Schwalbe, que, junto con mi agente, Lisa Queen, vieron más posibilidades en este libro que yo mismo, y me ayudaron a entender qué era lo que necesitaba este manuscrito para lograrlo; y lo que quizá sea más importante, supieron qué había que omitir. Vaya mi agradecimiento también para Chris Cowan, que dirigió dentro de HolacracyOne gran parte de los esfuerzos por sacar este libro al mercado, así como a todo el equipo de Henry Holt que ayudaron a orientarnos a lo largo de esta aventura, y en especial a Maggie Richards y Pat Eisenmann.

Gracias a mi madre, Shirley Mackey, por su apoyo durante mi infancia tan poco convencional y ayudarme a lo largo de toda ella a adquirir un sólido sentido de mí mismo; si no hubiera hecho un trabajo tan fantástico para impulsar el desarrollo de mi fuerte y saludable ego, no habría necesitado un sistema capaz de proteger de él a los demás.

Todo mi corazón y gratitud para mi esposa, Alexia Bowers, por contribuir a mi propio desarrollo y al de la holacracia en aspectos que sigo descubriendo regularmente y que sé es imposible que pueda apresar con la tosca y limitada herramienta de mi lenguaje. Su nombre ha aparecido ya dos veces anteriormente por sus contribuciones más tangibles y de fácil reconocimiento, aunque apenas dejan entrever sus muchas y variadas contribuciones a la historia de la holacracia y directamente a la elaboración de este libro.

Y, por último, por su valor, visión, capacidad de adaptación y disciplina hago una profunda reverencia a todos los dirigentes y empresas mencionados en este libro y a tantos otros que practican la holacracia cada día. Ellos forman parte de la iniciativa de poner en marcha una nueva manera de organizarse y trabajar conjuntamente en el mundo, y de paso están ayudando a que la holacracia supere mi control directo y se convierta en un auténtico movimiento. Sé que la futura evolución de la holacracia dependerá cada vez más de esta gran comunidad de usuarios y de las tensiones que perciban en relación al propio sistema, más que de los ajustes directos que yo realice. Como un padre que ve a su hijo marcharse de casa para crear su propia familia, siento un especial agradecimiento por ver que esta creación que alumbré haya encontrado una comunidad tan comprometida y solidaria, de manera que la holacracia pueda llevar a cabo la obra de su vida en el mundo, cualquiera que pueda acabar siendo.

ECOSISTEMA
DIGITAL